AF731543

VORWORT

Wie sich Mitmenschen in den ersten Minuten oder Sekunden nach Eintritt eines Notfalls oder einer Krisensituation verhalten, ist mit entscheidend für den Erfolg einer Rettungsmaßnahme. Statistisch gesehen muss jeder in seinem Leben einmal Erste Hilfe anwenden, doch was ist zu tun, wenn es wirklich ernst wird?

Zum einen ist der Arbeitgeber aufgrund gesetzlicher Bestimmungen dazu verpflichtet, Erste Hilfe in seinem Betrieb zu organisieren, zum anderen entspricht es unserer moralischen wie mitmenschlichen Pflicht, in Notfallsituationen helfend vor Ort zu sein.

Aus diesem Grund beinhaltet dieses Buch eine Auflistung von Sofortmaßnahmen für wichtige Notfall- und Krisensituationen.

Es ist empfehlenswert, jeweils ein Exemplar in allgemein zugänglichen Räumen aufzubewahren. Der Aushang eines Buchs neben jedem Erste-Hilfe-Kasten und am Schwarzen Brett liegt nahe – damit im Notfall jeder schnell darauf zugreifen kann.

Notfälle können überall und jederzeit passieren – seien Sie darauf vorbereitet!

Der Verlag
Dezember 2025

INHALTSVERZEICHNIS

Notfälle von A-Z

Wichtige Techniken von A-Z

FARBSCHEMA

- Grundlagen
- Erste Maßnahmen
- Techniken
- Herz-Kreislauf-Notfälle
- Bewusstseinsstörungen
- Atemstörungen
- Blutungen, Verletzungen, Frakturen
- Weitere Notfälle von A bis Z (Strom, Hitze, Kälte, Vergiftungen, Verätzungen)
- Notfälle während der Schwangerschaft
- Psychische Notfälle und Erste-Hilfe-Maßnahmen
- Reanimation für medizinisches Fachpersonal
- Anhang

GRUNDLAGEN

Die neuen Reanimationsleitlinien 2025

Diese Publikation basiert auf den Leitlinien zur Wiederbelebung und zur Ersten Hilfe. Diese Leitlinien werden regelmäßig auf ihre Aktualität geprüft und bei Bedarf angepasst. Alle fünf Jahre erfolgt diese Aktualisierung umfassend – so werden Studien gesichtet und entsprechend die neuesten Erkenntnisse in die Leitlinien eingearbeitet. Damit wird sichergestellt, dass z. B. veränderte Bedingungen berücksichtigt werden.

Ein Beispiel: Die Anpassung der Leitlinien an die speziellen Anforderungen durch Corona im Jahr 2020. Dies hatte auch zur Folge, dass es in kurzer Abfolge 2020 und 2021 neue Leitlinien zur Wiederbelebung gab. Diese waren bis November 2025 auch parallel gültig.

Welche Bedeutung haben die Leitlinien? Sie sind als Handlungsempfehlungen zu betrachten – so die grundlegende Aussage der Fachgesellschaften und Organisationen, die für die Erstellung und Anpassung der Leitlinien zuständig sind.

Grundsätzlich gilt: Die Leitlinien sollen nicht als einzig gangbarer Weg der Reanimation verstanden werden. Die Autoren beschreiben sie vielmehr als Wiedergabe der weithin „akzeptierten Ansicht, wie Wiederbelebung sicher und effektiv durchgeführt werden soll" (vgl. ERC, 2015). Die Leitlinien basieren auf wissenschaftlichen Grundlagen, über die breiter internationaler Konsens besteht. Dem International Liaison Committee on Resuscitation (internationaler Ausschuss für die Zusammenarbeit über die Reanimation, ILCOR, www.ilcor.org) gehören folgende Organisationen an:

- American Heart Association (AHA)
- European Resuscitation Council (ERC)
- Heart and Stroke Foundation of Canada (HSFC)
- Australian and New Zealand Committee on Resuscitation (ANZCOR)
- Resuscitation Council of Southern Africa (RCSA)
- Inter-American Heart Foundation (IAHF)
- Resuscitation Council of Asia (RCA)

Diese Organisationen werten Studien zur Reanimation aus und veröffentlichen ihre Schlussfolgerungen. Diese bilden dann die Basis für das ERC, das daraus die Leitlinien entwickelt bzw. die bestehenden Leitlinien an die aktuellen medizinischen Erkenntnisse anpasst.

Die Leitlinien beinhalten die Bereiche

- Kurzdarstellung
- Epidemiologie in der Reanimation
- Lebensrettende Systeme
- Grundlegende Lebensrettungsmaßnahmen bei Erwachsenen
- Erweiterte Lebensrettungsmaßnahmen bei Erwachsenen
- Besondere Umstände bei der Reanimation von Erwachsenen
- Nachsorge nach einer Reanimation bei Erwachsenen (in Zusammenarbeit mit der Europäischen Gesellschaft für Intensivmedizin)
- Reanimation von Neugeborenen und Unterstützung beim Übergang von Säuglingen bei der Geburt
- Lebenserhaltende Maßnahmen bei Kindern
- Ausbildung in Reanimation
- Ethik in der Reanimation
- Erste Hilfe

Die einzelnen Kapitel können unter www.grc-org.de oder www.erc.edu heruntergeladen werden.

Wesentliche Änderungen

Corona-Leitlinien

Grundsätzlich gilt: Alle Anpassungen die aufgrund der Corona-Pandemie vorgenommen wurden, sind nicht mehr in den Leitlinien enthalten. Besondere Anpassungen der Herz-Lungen-Wiederbelebung sind nicht mehr vorgesehen.

Reihenfolge der Maßnahmen/der Notruf

In der Leitlinie von 2025 wird betont, dass der Notruf erfolgen soll, wenn eine Bewusstlosigkeit festgestellt wurde. 2021 sollte vorher noch die Atemkontrolle durchgeführt werden und bei Vorliegen einer abnormen Atmung der Kreislaufstillstand durch den Ersthelfer gesichert sein. Die neue Reihenfolge ist

1. Prüfen des Bewusstseinszustands durch Ansprache oder Reize → bewusstloser Patient
2. Notruf
3. Während des Wartens auf die Antwort der Leitstelle → Atemkontrolle
4. Unterstützung durch die Leitstelle bei den weiteren Schritten

Die neue Reihenfolge spart Zeit und ermöglicht die Unterstützung durch die Leitstelle beim Prüfen der Atmung.

Erkennen abnormaler Atmung

Während 2021 eine langsame oder angestrengte Atmung als charakteristisch für eine abnormale Atmung galt, wird jetzt die besondere Bedeutung von körperlicher Aktivität für einen Kreislaufstillstand hervorgehoben. Auch eine hechelnde oder scheinbar normale Atmung direkt nach dem Einsetzen eines Herzstillstands gilt als charakteristisch.

Rolle der Rettungsleitstelle

Sehr viel ausführlicher und genauer wird in den Leitlinien die Rolle der Leitstelle beschrieben. Ihre Rolle beschränkt sich nicht nur auf das Entgegennehmen des Notrufs. Sie ist stattdessen wesentlich für das frühzeitige Erkennen eines Kreislaufstillstands und die Einleitung der Wiederbelebungsmaßnahmen.

Wie erkennt man einen lebensbedrohlichen Notfall?

(Plötzliche) Bewusstlosigkeit

- Der Betroffene reagiert nicht auf Ansprache oder Schmerzreiz
- Ggf. ist auch keine Atmung oder kein Puls wahrnehmbar.

(Heftiger) Brustschmerz

- Schmerz strahlt u. U. in den Bauch und den linken Arm aus.

Atemnot

- Der Betroffene bekommt keine Luft und fühlt sich sehr schlecht.

Schwere Blutung

- Große Verletzungen
- Blut spritzt im Pulsrhythmus aus der Wunde
- Starke Blutung aus Körperöffnungen oder in Körperhöhlen

Schock

- Der Betroffene erleidet ein Kreislaufzusammenbruch
- Blässe
- hoher flacher Puls (über 100/min)
- Frieren, Schwäche, Benommenheit
- manchmal auch panisch oder Angst

Drogen/Medikamentennotfall

- Der Betroffene hat Drogen oder Medikamente genommen
- Der Betroffene fühlt sich danach äußerst schlecht, ggf. zeigt er obige Anzeichen.

Beachten Sie bei einem Notfall diese Grundsätze!

Atmen Sie 3x tief durch	**Ruhe bewahren**
Was ist das für eine Situation?	**Verschaffen Sie sich einen Überblick**
Handeln Sie überlegt	**Hektik vermeiden**
Eigene Sicherheit berücksichtigen	**Notfallstelle absichern**
Wenn möglich durch einen zweiten Helfer	**Notruf**
Folgen Sie den Anweisungen der Rettungsleitstelle	**Anweisungen befolgen**
Erste-Hilfe-Maßnahmen durchführen	**Erste-Hilfe leisten**
Sagen Sie dem Betroffenen, was Sie tun	**Betroffenen informieren**
Bis zum Eintreffen des Rettungsdiensts beim Betroffenen bleiben	**Betroffenen nicht allein lassen**

112 144 144

Wichtig!

- Einmalhandschuhe anziehen
- Andere Menschen zur Mithilfe auffordern
- Schaulustige wegschicken

Die Notrufnummern

Rettungsdienst/Notarzt	112	144	144
Polizei	110	133	117
Feuerwehr	112	122	118

Der Inhalt – die 5 W

Der Leitstellenmitarbeiter fragt Sie ab.

Wo?	Wo genau ist der Unfall passiert? Angabe zum Notfallort, exakte Adresse/Etage, markante Punkte, Raumnummer
Was ist passiert?	Was ist vorgefallen? Beschreiben Sie, was passiert ist und erklären Sie den Grund für den Notruf.
Wie viele?	Wie viele Menschen sind betroffen? Geben Sie Details zur Zahl der Beteiligten an.
Welche?	Welche Verletzungen oder Erkrankungen liegen vor? **WICHTIG: Alter, Atmung, Bewusstseinslage**
Warten	Warten Sie auf Rückfragen und Anweisungen der Leitstelle.

Tipp

- Nutzen Sie, wenn möglich, die Freisprecheinrichtung Ihres Telefons, um Anleitungen besser durchführen zu können.
- Geben Sie Ihren Namen und Ihre Rückrufnummer an, unter der Sie für Rückrufe direkt wieder erreichbar sind.

Gut zu wissen

Die Leitstellenmitarbeiter leiten Sie dabei an,

- einen lebensbedrohlichen Notfall zu erkennen
- zu erkennen, ob es sich um einen Herz- oder Kreislaufstillstand handelt
- eine Herz-Lungen-Wiederbelebung durchzuführen.

Die Leitstellenmitarbeiter werden bei einem Herz-Kreislaufversagen nachfragen, ob ein Defibrillator/AED vor Ort ist.

Ist kein Defibrillator/AED direkt vor Ort verfügbar und sind mehrere Helfer anwesend, dann leitet der Leitstellenmitarbeiter eine der umstehenden Personen zum nächsten AED.

Ist ein AED/Defibrillator vor Ort, dann weisen Leitstellenmitarbeiter eine der umstehenden Personen an, den AED anzuschalten und den Anweisungen des AED zu folgen.

Giftnotruf

Region	Notrufnummer	@ E-Mail
Berlin	030 192 40	giftnotruf@charite.de
Bonn	0228 192 40	gizbn@ukbonn.de
Mecklenburg-Vorpommern, Sachsen, Sachsen-Anhalt, Thüringen	0361 730 730	ggiz@ggiz-erfurt.de
Freiburg	0761 192 40	Giftinfo@uniklinik-freiburg.de
Bremen, Hamburg, Niedersachsen, Schleswig-Holstein	0551 192 40 (Jedermann) und 383 180 (Fachleute)	Giznord@giz-nord.de
Rheinland-Pfalz, Hessen, Saarland	06131 192 40	mail@giftinfo.uni-mainz.de (nicht für Notfälle!)
München	089 192 40	tox@mri.tum.de
Österreich	01 406 43 43	Viz@goeg.at
Schweiz	145 (Notruf)	info@toxinfo.ch

Weitere wichtige Notrufnummern

Euronotruf 112

Bergrettung 112 (sowie regionale Telefonnummern) 140 1414 oder 0041 333 333 333

Die Rettungskette

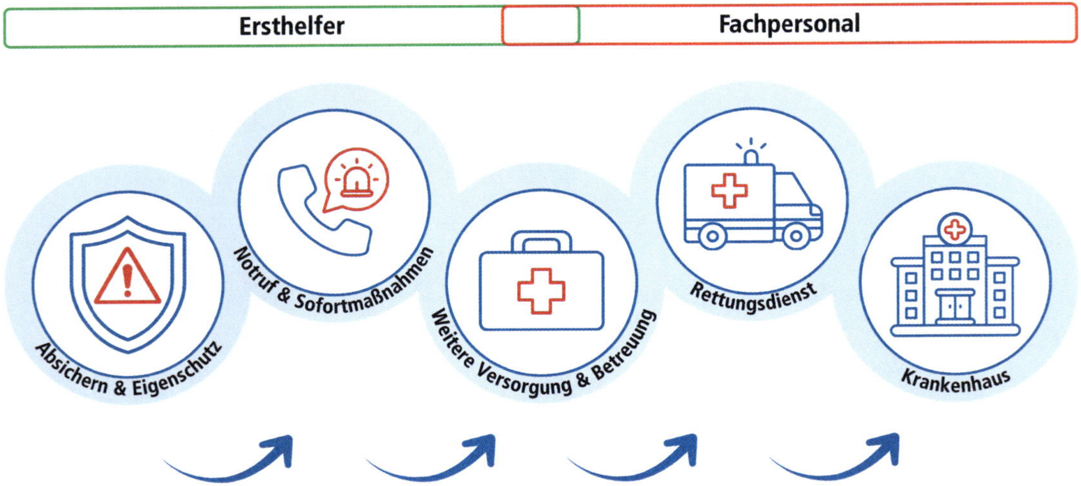

Hygienegrundsätze und Infektionsgefahren

Einmalhandschuhe verwenden

- Erkrankungen wie HIV, Hepatitis, Tuberkulose o. Ä. sind nicht sichtbar.
- Direkter, ungeschützter Kontakt mit Blut, Körperflüssigkeiten, Ausscheidungen sollte vermieden werden.

Beatmungstücher oder Beatmungsmasken verwenden

- Atemwegsinfektionen wie Tuberkulose, SARS o. Ä. sind nicht immer offensichtlich.
- Eine Übertragung kann durch Anwendung entsprechender Hilfsmittel vermieden werden.

Schnitt- und Stichverletzungen vermeiden

- Verunreinigte Scherben oder Injektionsnadeln können ebenfalls zur Übertragung einer Infektionskrankheit führen.

Händehygiene

- Nach einer Ersten-Hilfe-Leistung sind Händereinigung und Desinfektion notwendig.
- Achten Sie darauf, dass Handinnenseite, -rückseite sowie die Fingerzwischenräume und -kuppen vollständig vom Desinfektionsmittel benetzt sind. Beachten Sie die Einwirkzeit des Desinfektionsmittels.

DIE ERSTEN MAßNAHMEN

Überblick über die Gefahrenzone

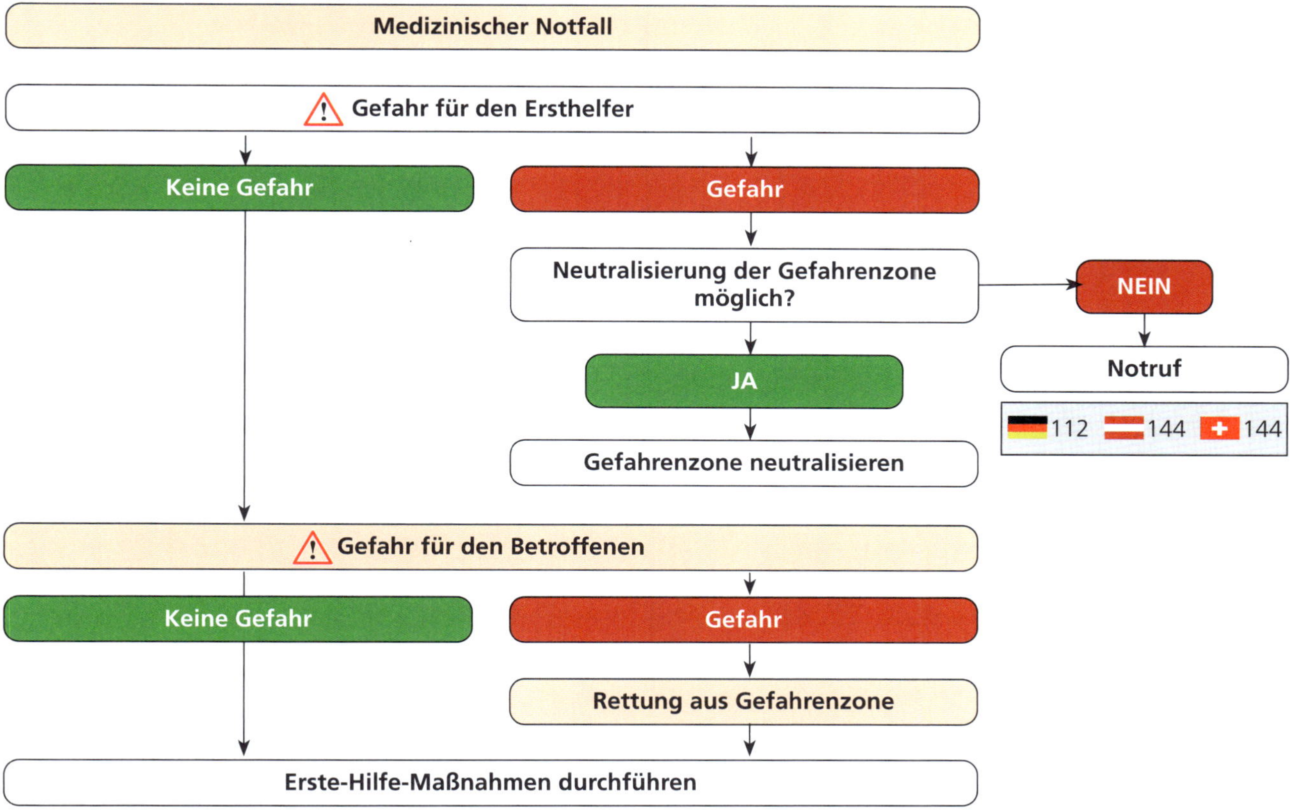

Gefahrensituationen – Bewertung der Situation und Absichern der Notfallstelle

	Gefahren	Maßnahmen zum Eigen- und Fremdschutz
	Infektionsgefahr	Einmalhandschuhe anziehen ggf. Beatmungstücher verwenden
	Stolperfallen	Kabel, Gegenstände etc. beachten und ggf. von der Unfallstelle entfernen
	Rutschgefahr	Nasse oder rutschige Böden beachten
	Witterung	Unwetter, Blitzschlag beachten
	Gewässer	Nur mit Sicherung Rettung aus unbekannten/fließenden Gewässern
	Straßenverkehr	Absicherung der Unfallstelle: Warndreieck aufstellen, Warnweste tragen
	Strom	Niederspannung: vor Annäherung Stromzufuhr unterbrechen Hochspannung: keine Annäherung, Fachkräfte verständigen
	Gas	Bei Ansammlung in Silos o. ä. abgeschlossenen Bereichen Atemschutzgeräte notwendig In Wohnräumen keine Nutzung von Lichtschaltern Kein offenes Feuer Umgehende Lüftung
	Herabfallende Teile	Prüfen, ob die Möglichkeit besteht, dass Gegenstände von oben herabfallen können (insbesondere bei Baustellen, Gerüsten, aber auch bei Astbruch nach einem Sturm usw.)

Einschätzen der notwendigen Erste-Hilfe-Maßnahmen

Eigenschutz wahren – Gefahrenstelle sichern/neutralisieren
Betroffenen ggf. aus Gefahrenbereich retten

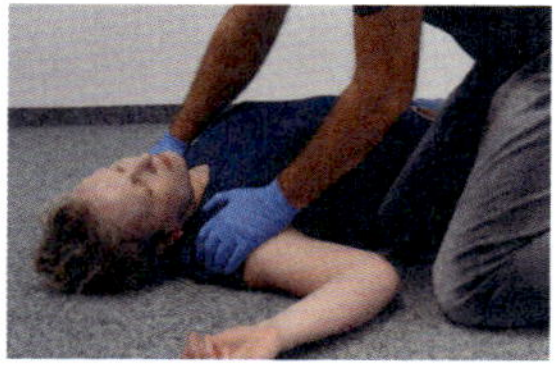

Betroffenen ansprechen, leicht an der Schulter rütteln

Reaktion – NEIN | **Reaktion – JA**

Um Hilfe rufen

Notruf

112 (Deutschland) | 144 (Österreich) | 144 (Schweiz)

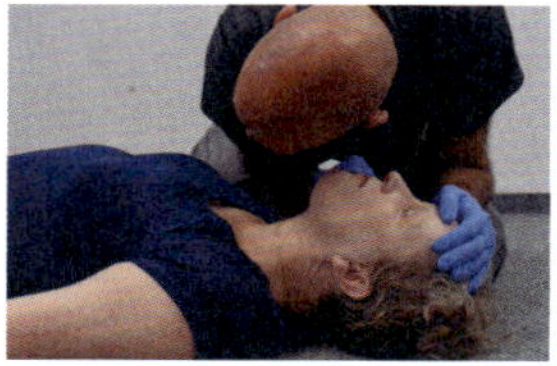

Atemkontrolle

Atmung normal → **Stabile Seitenlage**

Atmung nicht normal

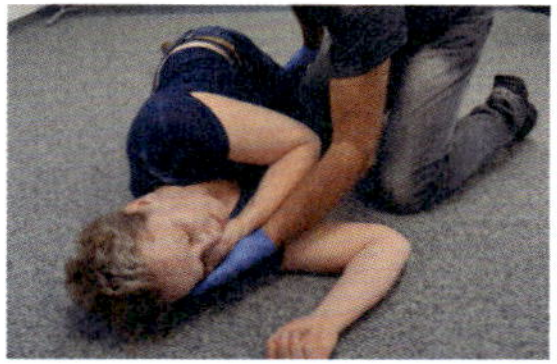

Erste-Hilfe-Maßnahmen nach Situation

Allgemeine Regeln

Eigenschutz (Selbstschutz) vor Fremdschutz: Bringen Sie sich selbst nicht in Gefahr, um Erste Hilfe zu leisten!

Bringen Sie andere durch Ihre Hilfeleistung nicht in Gefahr!

Tragen Sie bei jeder Hilfeleistung Einmalhandschuhe!

Nutzen Sie Hilfsmittel (Beatmungstuch, Beatmungsmasken) – wenn verfügbar – zur Atemspende!

Verletzte oder Erkrankte so wenig wie möglich bewegen!

Fordern Sie andere Personen zur Unterstützung auf und schicken Sie unbeteiligte Zuschauer weg!

Rückenschleiftechnik bei liegenden Betroffenen

Hinweis
Diese Methode ist die schonendste Methode, um Betroffene aus einer Gefahrenzone zu ziehen.

1. **Betroffener liegt auf dem Rücken in einem Gefahrenbereich**
2. **Arme nach hinten über den Kopf legen**
3. **Arme überkreuzen**
4. **Kopf auf die Arme legen**
5. **Betroffenen flach aus der Gefahrenzone ziehen**

Achtung!
- Ziehen Sie bei Armverletzungen nicht an den Armen.
- Fassen Sie im Schulterbereich an der Kleidung und ziehen Sie so.
- Legen Sie den Kopf dabei auf die Unterarme des Helfers.

Rautekgriff bei sitzenden Betroffenen

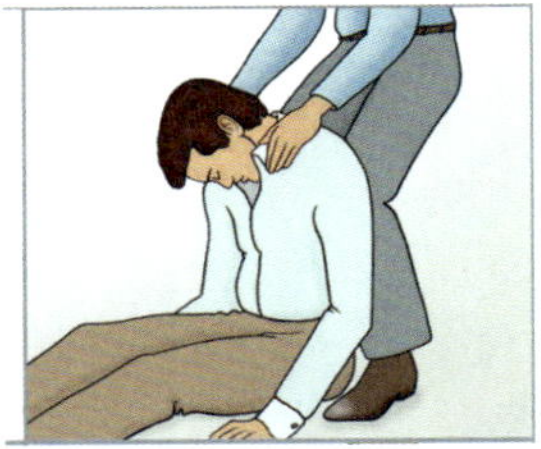

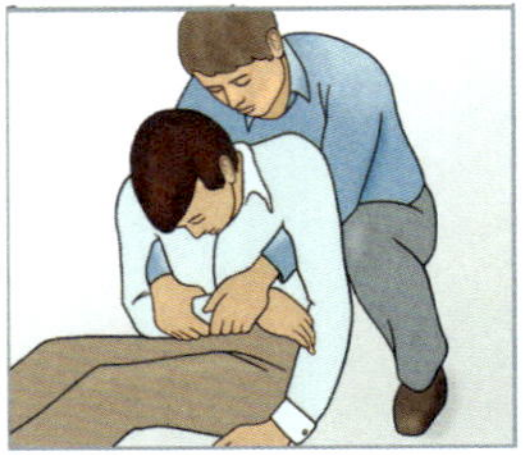

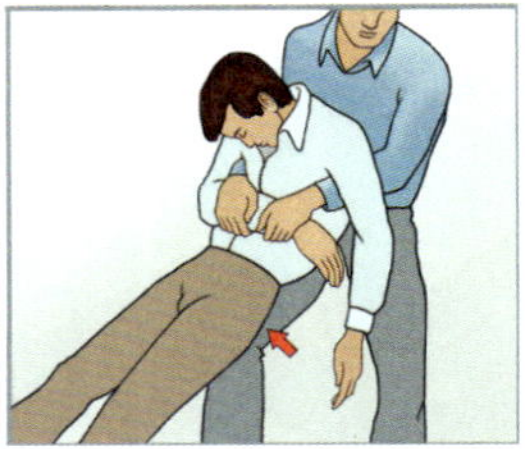

Der Rautekgriff ist ein Rettungsgriff und dient ausschließlich der Rettung aus Gefahrenzonen!

Person sitzt/Person aufsetzen

Person ansprechen/leicht an der Schulter rütteln

Mit beiden Armen unter den Achselhöhlen durchgreifen

Einen Unterarm des Betroffenen quer legen

Den Arm mit beiden Händen greifen (Daumen nach vorne)

Betroffenen dicht an den Körper auf den eigenen Oberschenkel ziehen

Betroffenen an sicheren Ort ziehen

↓

Prüfen Bewusstsein, Atmung und Einleiten der Notfallmaßnahmen

Hinweis

Gefahrensituationen sind z. B.:

- Rettung aus einem Auto
- Rettung bei einem Brand
- Rettung aus einer gefährlichen Umgebung

Rettung aus einem Fahrzeug

Auf nicht ausgelösten Airbag achten

Zündung aussschalten

Sitz in geeignete Position bringen

Gurt lösen/durchschneiden

Eingeklemmte Füße befreien

Person in Sitzhöhe von hinten mit einem Arm umgreifen

Person an der entfernten Hüfte fassen und vorsichtig zum Helfer drehen

Abstützen der Schulter der Person mit dem zweiten Arm

Unter der abgewandten Achselhöhle durchgreifen und abgewandten Arm quer vor dem Körper greifen (Daumen vorne)

Person aus dem Fahrzeug auf den Oberschenkel ziehen

Person aus dem Gefahrenbereich ziehen

↓

Prüfen Bewusstsein, Atmung und Einleiten der Notfallmaßnahmen

Achtung!
- Prüfen Sie immer, ob eine gefahrlose Annäherung an den Betroffenen möglich ist.
- Betroffenen so wenig wie möglich bewegen.

Umdrehen eines Betroffenen von der Bauchlage auf den Rücken

Zweiten Helfer zur Unterstützung rufen

Beide Helfer knien auf derselben Seite

Legen Sie den Ihnen zugewandten Arm des Betroffenen gestreckt nach oben (neben den Kopf)

Helfer 1 fixiert den Kopf (eine Hand an der Schläfe und eine Hand am Ohr auf der anderen Kopfseite)

Helfer 2 fasst Schulter und Becken auf der vom Helfer abgewandten Seiten

Auf Kommando drehen beide gleichzeitig den Betroffenen auf den Rücken (Drehrichtung zu den Helfern)

Ablage des Kopfes (neutrale Stellung)

↓

Prüfen Bewusstsein, Atmung und Einleiten der Notfallmaßnahmen

Leitsymptom Bewusstlosigkeit

Anzeichen einer Bewusstseinsstörung

- Desorientierung
- Undeutliche, verwaschene Sprache
- Wortfindungsstörungen
- Verlangsamte oder verminderte Reaktion auf Reize
- Schläfrigkeit
- Bewusstlosigkeit

Wie kommt es zu einem Atemstillstand infolge einer Bewusstlosigkeit?

Ausfall der Schutzreflexe → Ausfall des Schluckreflexes → Gefahr der Verlegung der Atemwege durch Fremdkörper, Speichel, Erbrochenes usw. → Gefahr des Atemstillstands

Erschlaffung der Muskulatur → Erschlaffen der Zungenmuskulatur → Gefahr der Verlegung der Atemwege durch das Erschlaffen der Zungenmuskulatur → Gefahr des Atemstillstands

Wie können Sie einen Atemstillstand verhindern?

- Atemwege freimachen und offen halten
- Atmung prüfen
- Stabile Seitenlage

Bewusstsein prüfen

Eigenschutz wahren – Gefahrenstelle sichern/neutralisieren
Betroffenen ggf. aus Gefahrenbereich retten

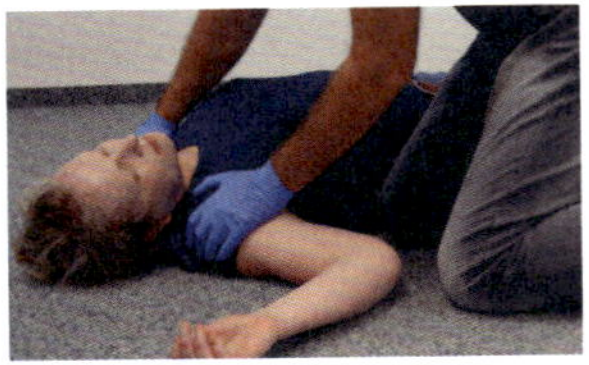

Betroffenen ansprechen, leicht an der Schulter rütteln

Reaktion – NEIN

Reaktion – JA

Um Hilfe rufen

Notruf durch 2. Helfer

112 (Deutschland) | 144 (Österreich) | 144 (Schweiz)

Betroffenen auf den Rücken drehen

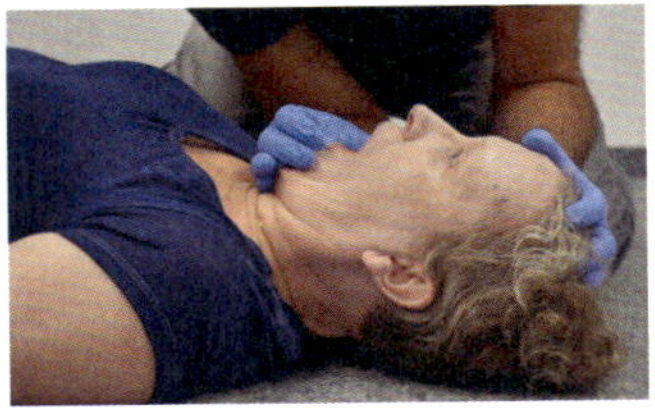

Atemwege freimachen

Kopf überstrecken

Atmung kontrollieren

Erste-Hilfe-Maßnahmen nach Situation

Kopf überstrecken

- An Kinn und Stirn fassen
- Kopf vorsichtig nach hinten legen
- Kinn anheben

Atmung prüfen

Eigenschutz wahren – Gefahrenstelle sichern/neutralisieren
Betroffenen ggf. aus Gefahrenbereich retten

Notruf

112 | 144 | 144

Atemwege freimachen

Atmung kontrollieren

- Sehen: Hebt sich der Brustkorb?
- Hören: Sind Atemgeräusche zu hören (Ohr über dem Mund des Betroffenen positionieren)
- Spüren: Ist ein Luftstrom an der Wange zu spüren?
- Überprüfung maximal 10 Sekunden!

Normale Atmung? – NEIN → **Herz-Lungen-Wiederbelebung beginnen**

Normale Atmung? – JA → **Stabile Seitenlage**

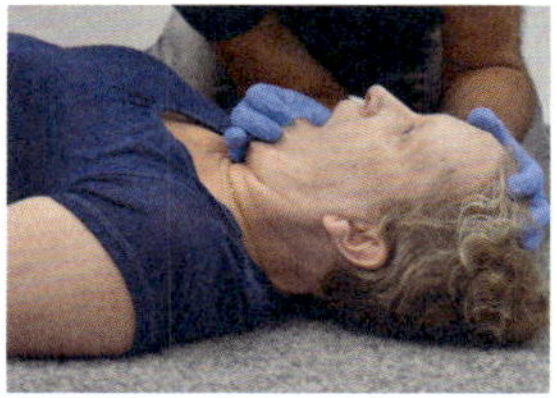

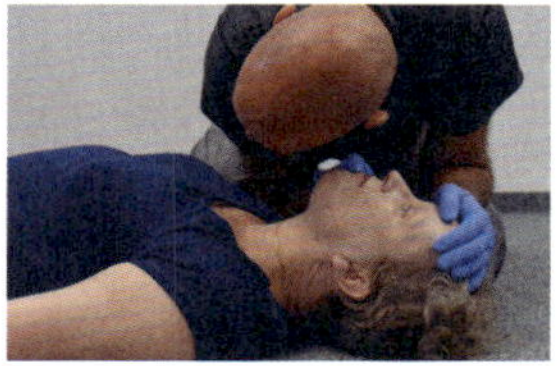

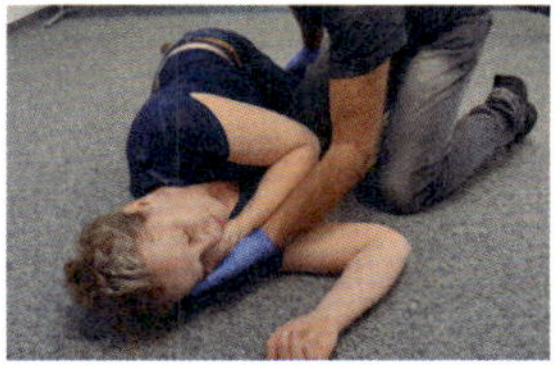

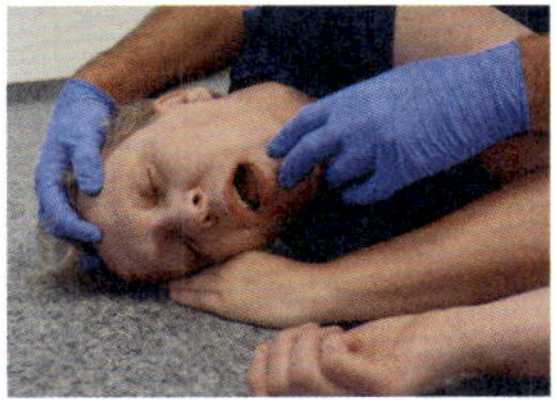

Leitsymptom Atemstillstand

Anzeichen eines Atemstillstands

- Schnappatmung
- Kein Heben des Brustkorbs
- Kein Luftstrom an der Wange zu spüren
- Keine Atemgeräusche oder nur vereinzelte Geräusche durch Schnappatmung zu hören

Welche Maßnahmen sind bei einem Atemstillstand zu treffen?

Stellen Sie einen Atemstillstand fest, dann leiten Sie unverzüglich folgende Maßnahmen ein:

- Rettungsdienst alarmieren
- Herzdruckmassage beginnen

Wenn andere Personen verfügbar sind, dann fordern Sie zur Hilfe auf.

- Rettungsdienst alarmieren
- AED Gerät holen

Beachten Sie!

Sind bei einem Betroffenen Atemstörungen feststellbar und dieser ist nicht bewusstlos, dann handeln Sie entsprechend der Anleitung auf S. 71

Kreislaufstillstand

**Eigenschutz wahren – Gefahrenstelle sichern/neutralisieren
Betroffenen ggf. aus Gefahrenbereich retten**

Betroffenen ansprechen, leicht an der Schulter rütteln

Reaktion – NEIN

Um Hilfe rufen

Notruf

112 144 144

Atemwege freimachen

Normale Atmung? – NEIN

AED holen lassen

**30 Herzdruckmasagen
2 Beatmungen**

Reaktion – JA

Hilfe nach Bedarf

Normale Atmung? – JA

Stabile Seitenlage

Herz-Lungen-Wiederbelebung – Dauer
Solange durchführen, bis der Betroffene normal atmet oder bis der Rettungsdienst eintrifft! Genaue Beschreibung siehe Seite 50

Bewussseinskontrolle

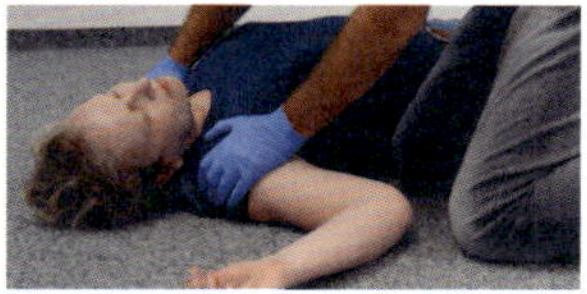

Atemkontrolle

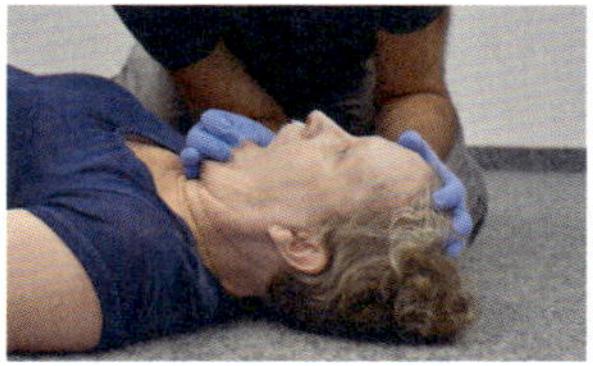

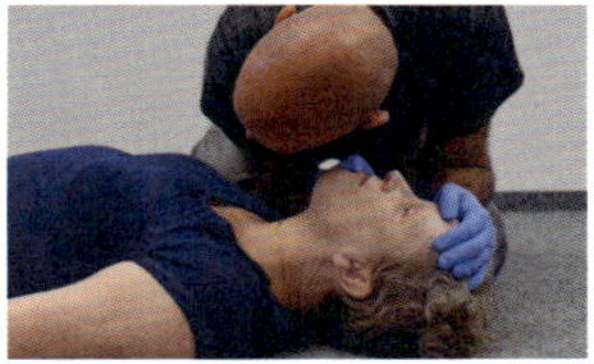

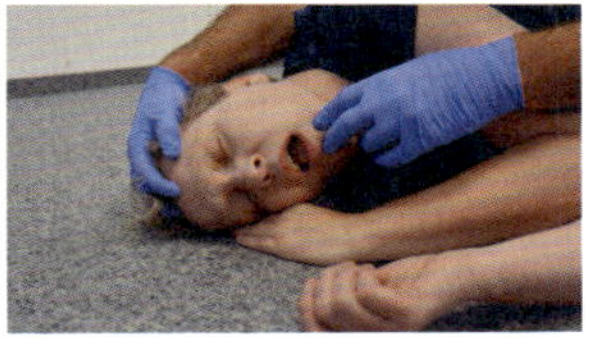

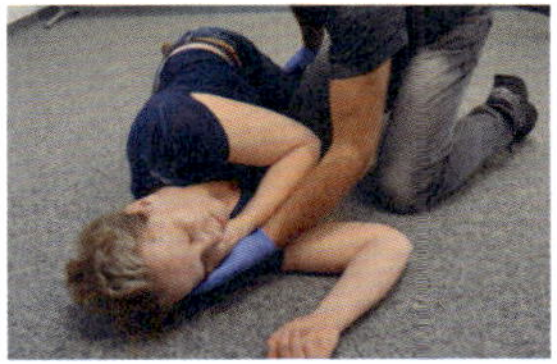

WICHTIGE TECHNIKEN:
WIEDERBELEBUNG UND POSITIONIERUNGEN

Herzdruckmassage

Situation: Keine normale Atmung, reglose Person

↓

Notruf

112 (Deutschland) | 144 (Österreich) | 144 (Schweiz)

↓

Betroffenen in Rückenlage auf harte Unterlage legen

↓

Auf Schulterhöhe dicht neben dem Betroffenen hinknien

↓

Handballen auf Mitte der Brust legen
(= untere Hälfte des Brustbeins)

↓

Handballen der anderen Hand
auf die liegende Hand legen
Finger verschränken
(Finger der unteren Hand hochziehen)

↓

Brustbein 5-6 cm tief eindrücken 30-mal
Frequenz: 100 bis 120x pro Minute

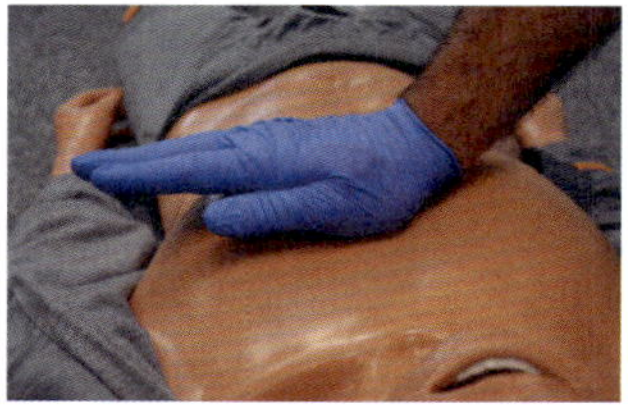

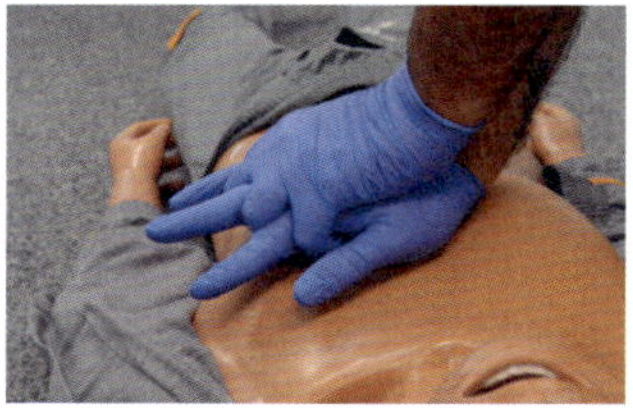

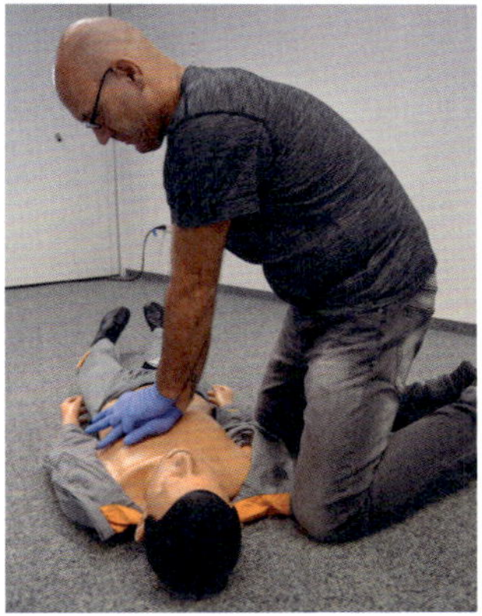

Beatmung

Achtung
Unterbrechung der Herzdruckmassage für die Beatmung maximal für 10 Sekunden!

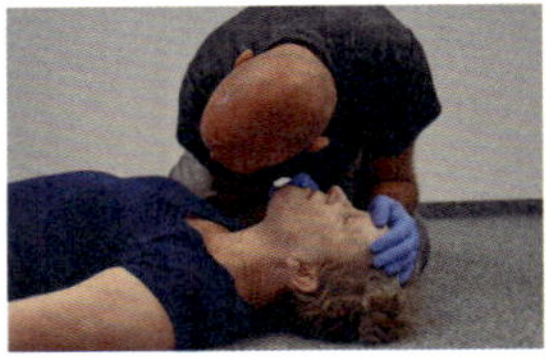

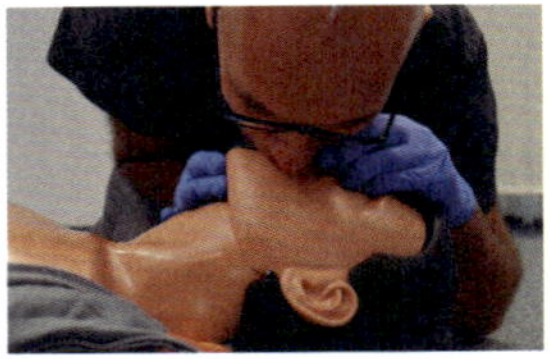

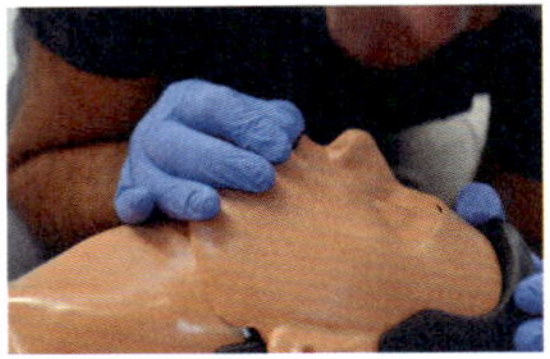

Hand an Stirn-Haar-Grenze legen
Kopf nach hinten neigen und dabei das Kinn anheben
Nase mit Zeigefinger und Daumen verschließen
Mund öffnen

Normal einatmen

Mund um den Mund des Betroffenen
Achtung: Lippen umschließen den Mund dicht

Luft eine Sekunde in den Mund des Betroffenen blasen
Beobachten, ob sich der Brustkorb hebt

Kopf heben und prüfen, ob sich der Brustkorb senkt
Achtung: Kopf des Betroffenen dabei fixieren

Wieder einatmen und Atemspende wiederholen

Fortsetzung der Wiederbelebungsmaßnahmen im Wechsel 30 Herzdruckmassagen und 2 Atemspenden.

Brustkorb hebt sich nicht – mögliche Ursachen

- Nase richtig verschlossen?
- Kopf ausreichend überstreckt?
- Kinn angehoben?
- Mund dicht umschlossen?
- Fremdkörper in den Atemwegen?

Abbruch der Wiederbelebung nur, wenn Betroffener

- sich aktiv bewegt
- die Augen öffnet
- normal atmet
- das Bewusstsein wiedererlangt

Einsatz eines Defibrillators/AEDs

Situation: Keine normale Atmung, reglose Person

Notruf 🇩🇪 112 🇦🇹 144 🇨🇭 144

Defibrillator einschalten und den Anweisungen folgen

Altersentsprechende Klebeelektroden auswählen
Erwachsene/Kinder > 8 Jahre: Standardelektroden

Brust des Betroffenen abtrocknen (bei Schweiß oder Wasser)

Kabel/Elektroden anschließen

Elektroden auf der nackten Brust aufkleben
Elektrode 1: oben rechts unterhalb des Schlüsselbeins, neben dem Brustbein
Elektrode 2: links neben der Brustwarze, unterhalb der linken Achselhöhle

Analyse des Herzrhythmus durch das Gerät:
Betroffenen nicht berühren

Schockabgabe entweder automatisch oder nach Auslösen durch den Helfer

Weitere Anweisungen des AED befolgen

Prüfung vor AED-Einsatz
- Kein explosionsgefährdeter Bereich
- Keine Metall- oder Nässebrücke

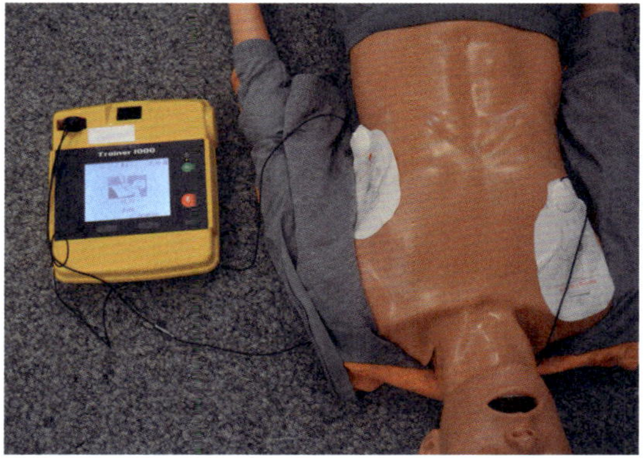

Wichtig
Schock erfolgt nur, wenn er empfohlen ist, sonst ist keine Schockabgabe möglich.

Ablauf Herz-Lungen-Wiederbelebung mit mehreren Helfern und AED

Durchführung der Herzdruckmassage im Wechsel mit der Atemspende

Bei zwei Helfern parallel Vorbereitung des AED-Einsatzes

Unterbrechung der Wiederbelebungsmaßnahmen erst, wenn AED bereit zur Analyse

↓

Wiederaufnahme der Wiederbelebungsmaßnahmen nach Abgabe des Schocks bzw. bei Empfehlung der Fortführung der Maßnahmen durch das AED-Gerät

Wichtig

- Bei Schockabgabe darf keiner den Betroffenen berühren!
- Es dürfen keine leitenden Verbindungen zwischen dem Betroffenen und anderen Helfern bestehen!

Die stabile Seitenlage

Situation	Einschränkung des Bewusstseins, Bewusstlosigkeit
Dauer	Bei normaler Atmung und fortbestehender Bewusstseinseinschränkung, Bewusstlosigkeit
Beachten	Betroffenen nicht allein/unbeobachtet lassen, Atmung kontinuierlich überwachen
Wichtig	Kopf überstrecken, Kinn anheben, Atmung regelmäßig kontrollieren

Nahe liegenden Arm anwinkeln und nach oben legen

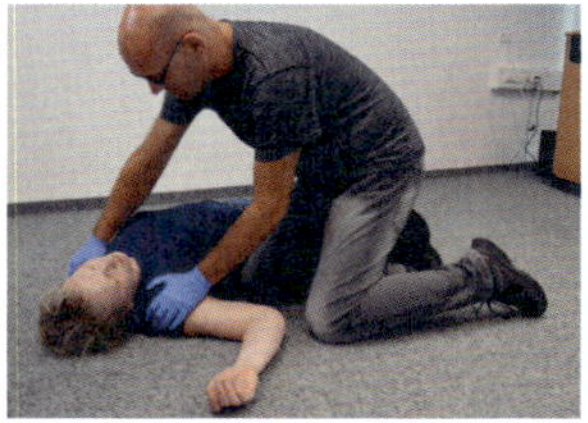

Griff an den gegenüberliegenden Arm

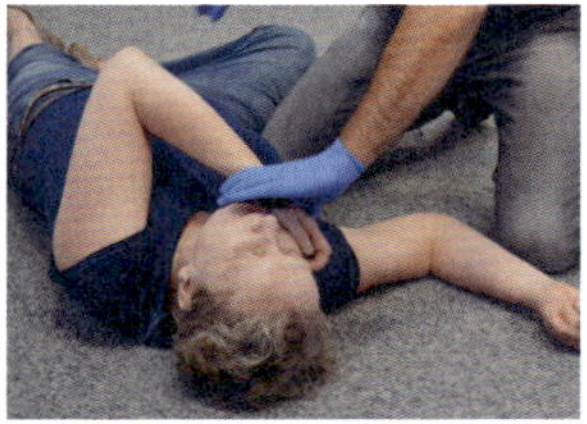

Griff an den gegenüberliegenden Oberschenkel

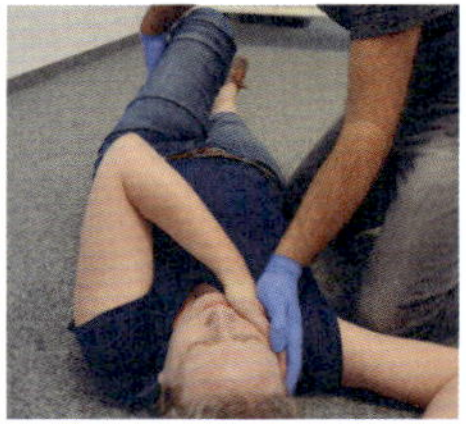

Person herüberziehen

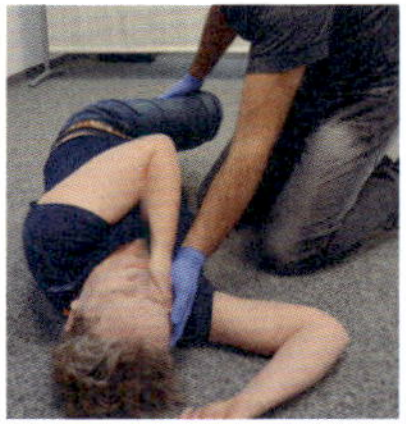

Liegt der Kopf richtig?

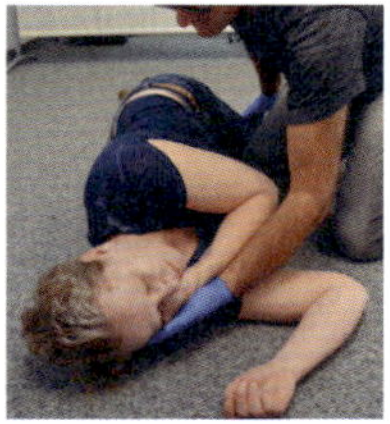

Kopf überstrecken, Mund nach unten drehen

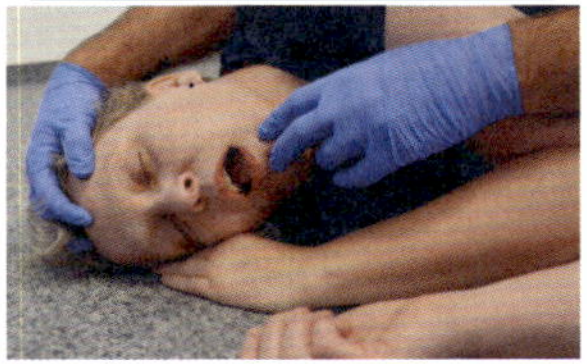

Kontrolle Bewusstsein Atmung

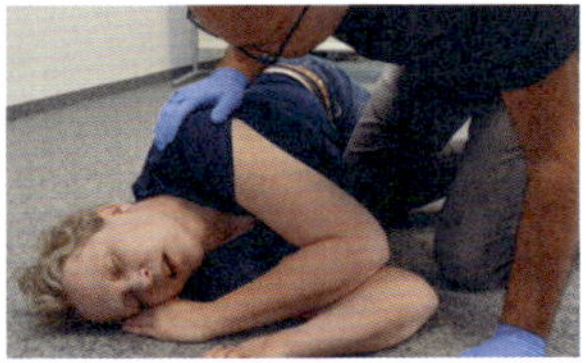

Oberkörper hoch positionieren

Situation	Atemnot, Herzinfakrt, Schlaganfall, Kopfverletzung
Beachten	Auf Bewusstseinsveränderungen achten, Eintrüben der Person → Stabile Seitenlage

Bei Schlaganfall, Hirnblutung, Gehirnerschütterung, Sonnenstich

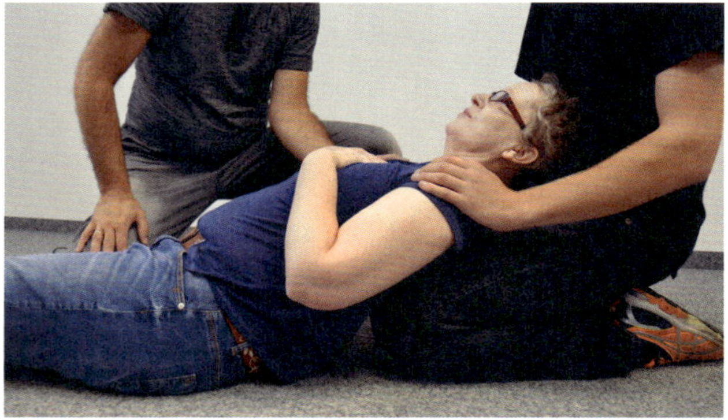

Oberkörperhochlagerung 30°

Bei Herzinfarkt, Herzinsuffizienz, akuter Atemnot, Asthma bronchiale, Schwellungen im Hals- und/oder Gesichtsbereich

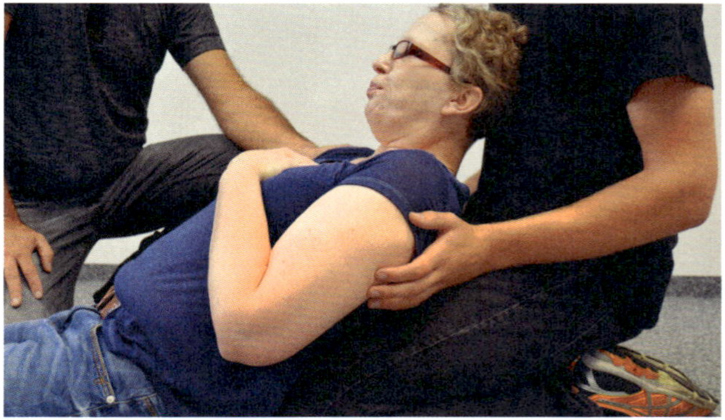

Oberkörperhochlagerung 60°

HERZ-KREISLAUF-NOTFÄLLE

Leitsymptom	Anzeichen
Kreislaufstillstand	• Keine Reaktion auf Ansprache und Berührung • Keine Reaktion auf Schmerzreize • Atemstillstand oder Schnappatmung • Keine Kreislaufzeichen (kein Puls tastbar)
Brustschmerz	• Schmerzen im Brustkorb, evt. ausstrahlend • Weitere Anzeichen bei Herzinfarkt/Angina-Pectoris-Anfall: Blässe, kalter Schweiß, Atemnot
Herzrhythmusstörungen	• Unregelmäßiger Puls, „Herzstolpern" • Starke Abweichungen von den Normalwerten ohne äußere Anlässe (z. B. starke körperliche Betätigung) Normalwerte: 60-80 Schläge/Minute
Blutdruckschwankungen	• Kopfschmerzen • Untypisch geröteter Kopf • Schwindel, Übelkeit • Druckgefühl in der Brust • Atemnot
Schock	• Blasse, kalte, schweißige Haut • Bewusstseinseintrübung bis zu Bewusstlosigkeit • Schwindel („schwarz vor Augen") • Kopfschmerzen

Wichtig

Es liegt ein Kreislaufstillstand vor, wenn bei einer Atemkontrolle einer reglosen Person keine (normale) Atmung feststellbar ist.

Anzeichen eines Herzinfarkts

- Schmerzen im Brustkorb
- Blässe
- Kalter Schweiß
- Atemnot

Herz-Lungen-Wiederbelebung ohne Defibrillator/AED

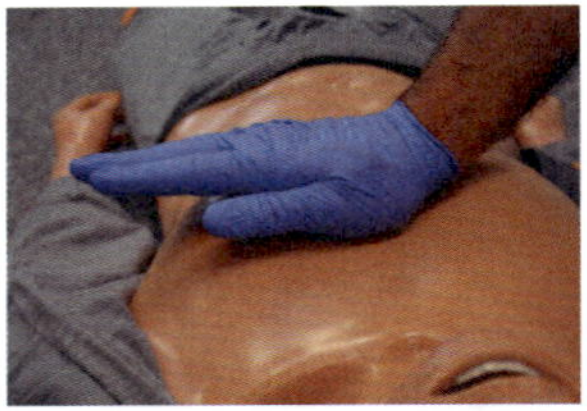
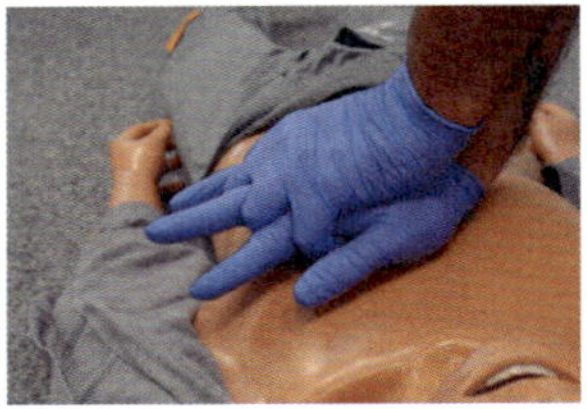
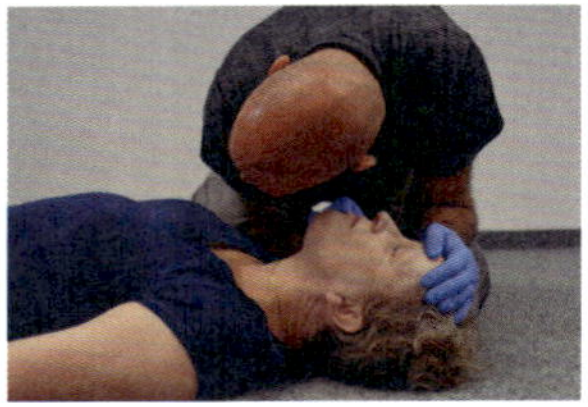
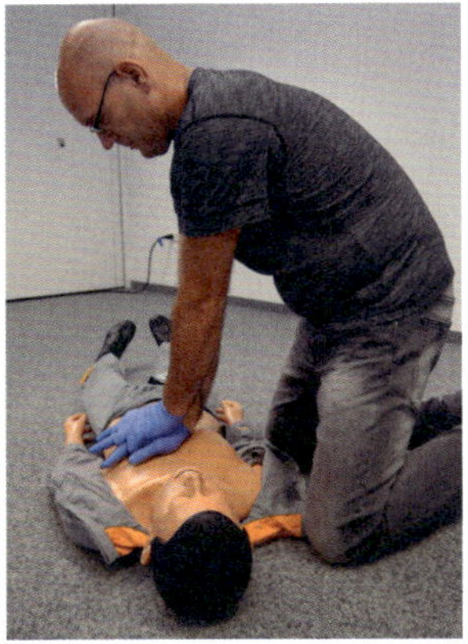

Situation: Keine normale Atmung, reglose Person

Notruf 112 144 144

Betroffenen in Rückenlage auf harte Unterlage legen

Auf Schulterhöhe dicht neben dem Betroffenen hinknien

Handballen auf Mitte der Brust legen
(= untere Hälfte des Brustbeins)

Handballen der anderen Hand auf die liegende Hand legen
Finger verschränken (Finger der unteren Hand hochziehen)

Brustbein 5-6 cm tief eindrücken 30-mal
Frequenz: 100 bis 120x pro Minute

Hand an Stirn-Haar-Grenze legen
Kopf nach hinten neigen und dabei das Kinn anheben
Nase mit Zeigefinger und Daumen verschließen
Mund öffnen

Normal einatmen

Mund um den Mund des Betroffenen legen
Achtung: Lippen umschließen den Mund dicht

Luft eine Sekunde in den Mund des Betroffenen blasen
Beobachten, ob sich der Brustkorb hebt

Kopf heben und prüfen, ob sich der Brustkorb senkt
Achtung: Kopf des Betroffenen dabei fixieren

Wieder einatmen und Atemspende wiederholen

Fortsetzung der Wiederbelebungsmaßnahmen im Wechsel
30 Herzdruckmassagen und 2 Atemspenden

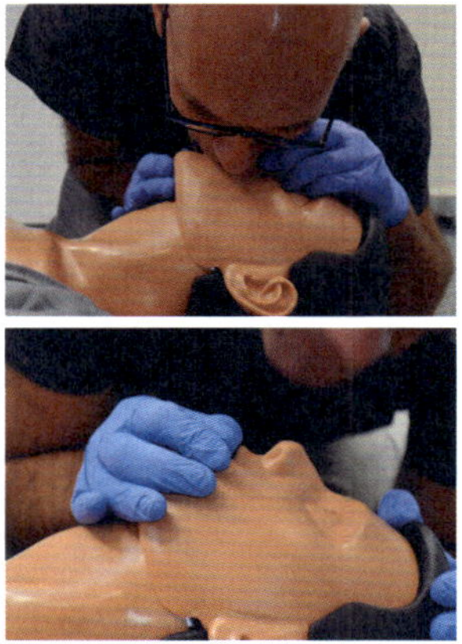

Achtung!
Unterbrechung der Herzdruckmassage für die Beatmung für max. **10 Sekunden**!

Brustkorb hebt sich nicht – mögliche Ursachen
- Nase richtig verschlossen?
- Kopf ausreichend überstreckt?
- Kinn angehoben?
- Mund dicht umschlossen?
- Fremdkörper in den
- Atemwegen?

Achtung – Abbruch der Wiederbelebung nur, wenn Betroffener
- sich aktiv bewegt
- die Augen öffnet
- normal atmet
- das Bewusstsein wiedererlangt

Wichtig
- Unbedingt die Herzdruckmassage durchführen, auch wenn die Beatmung nicht gelingt
- Hilfsmittel zur Beatmung nutzen (Beatmungstuch, Beatmungsmaske)

Herz-Lungen-Wiederbelebung mit Defibrillator/AED

Prüfung vor AED-Einsatz
- Kein explosionsgefährdeter Bereich
- Keine Metall- oder Nässebrücke

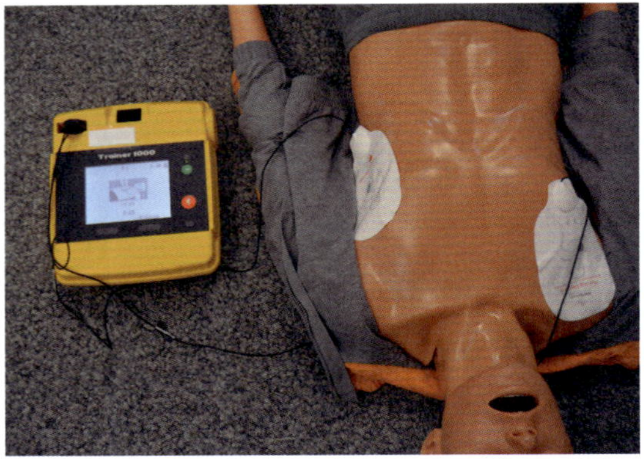

Wichtig
Ein Schock durch das Gerät erfolgt nur, wenn er empfohlen ist, sonst ist keine Schockabgabe möglich.

Situation: Keine normale Atmung, reglose Person

Notruf 112 (Deutschland) 144 (Österreich) 144 (Schweiz)

Defibrillator einschalten und den Anweisungen folgen

Altersentsprechende Klebeelektroden auswählen
Erwachsene/Kinder > 8 Jahre: Standardelektroden
Kinder < 8 Jahre: Kinderelektroden

Brust des Betroffenen abtrocknen (bei Schweiß oder Wasser)

Kabel/Elektroden anschließen

Elektroden auf der nackten Brust aufkleben
Elektrode 1: oben rechts unterhalb des Schlüsselbeins, neben dem Brustbein
Elektrode 2: links neben der Brustwarze, unterhalb der linken Achselhöhle

Analyse des Herzrhythmus durch das Gerät:
Betroffenen nicht berühren

Schockabgabe entweder automatisch oder nach Auslösen durch den Helfer

Weitere Anweisungen des AED befolgen

Ablauf Herz-Lungen-Wiederbelebung mit mehreren Helfern und AED

Durchführung der Herzdruckmassage im Wechsel mit der Atemspende

↓

Bei zwei Helfern parallel Vorbereitung des AED-Einsatzes

↓

Unterbrechung der Wiederbelebungsmaßnahmen erst, wenn das AED-Gerät zur Analyse bereit ist

↓

Wiederaufnahme der Wiederbelebungsmaßnahmen nach Abgabe des Schocks bzw. bei Empfehlung der Fortführung der Maßnahmen durch das AED-Gerät

Wichtig

- Bei Schockabgabe darf keiner den Betroffenen berühren!
- Es dürfen keine leitenden Verbindungen zwischen dem Betroffenen und anderen Helfern bestehen!

Kreislaufstörungen – Reaktion auf Ansprache und Reize sowie normale Atmung vorhanden

Oberkörper hoch positionieren > 30°

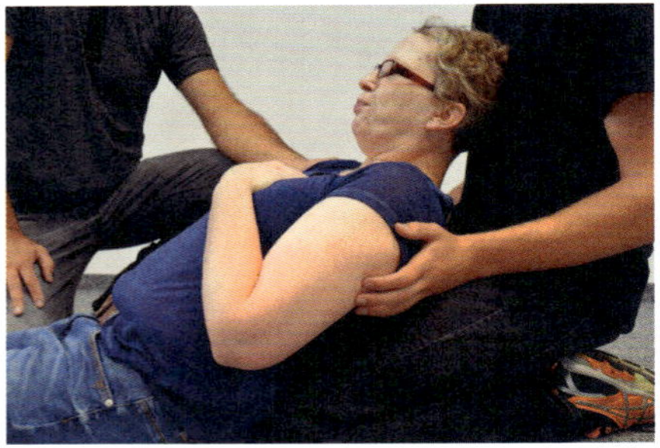

Gefahren für Betroffenen und Anwesende beseitigen

Betroffenen in Position belassen oder in angenehme Position bringen (Oberkörper hoch oder flach positionieren je nach Ursache)

Belastungen vermeiden
(keine aktiven Bewegungen durch den Betroffenen

Kontinuierliche Überprüfung von Bewusstsein und Atmung

Hilfe holen lassen

Notruf 112 144 144

Beengende Kleidung öffnen

Für Frischluftzufuhr sorgen

Betroffenen zudecken

Betroffenen beruhigen

Wichtig

- Frühzeitiges Absetzen des Notrufs entscheidend
- Bei Anzeichen für Herzinfarkt oder Angina Pectoris besteht akute Lebensgefahr

BEWUSSTSEINSSTÖRUNGEN/ BEWUSSTLOSIGKEIT

Ursachen einer Bewusstlosigkeit/von Bewusstseinsstörungen

HINWEIS
Grundsätzlich gilt: Erkrankungen, Verletzungen, Vergiftungen und Umwelteinflüsse können zu Bewusstseinsstörungen und Bewusstlosigkeit führen!

Ursache	Wichtig zu wissen
Schlaganfall	• Betreinträchtigung der Blutversorgung bestimmter Bereiche des Gehirns • verminderte Blutversorgung mit Sauerstoffmangel im Gehirn **Erste-Hilfe-Maßnahmen siehe S. 63**
Diabetes mellitus	• Unterzucker = Zuckermangel aufgrund eines Insulinüberschusses (zu hohe Menge Insulin injiziert, Insulininjektion ohne nachfolgende Kohlenhydratzufuhr) • Zu hoher Blutzucker = zu hohe Aufnahme von Kohlenhydraten bei mangelnder Zufuhr von Insulin oder blutzuckersenkenden Medikamenten **Erste-Hilfe-Maßnahmen siehe S. 66**
Kopfverletzung	• teilweise nur innere Verletzungen, ohne äußere Anzeichen dafür **Erste-Hilfe-Maßnahmen siehe S. 94**
Vergiftungen	• feste, gasförmige oder flüssige Substanzen • Stoffwechselentgleisungen, Nieren- oder Leberinsuffizienz **Erste-Hilfe-Maßnahmen siehe S. 105 (feste, flüssige Substanzen), S. 107 Gas**
Sonnenstich	• lang andauernde oder intensive Sonneneinstrahlung bei ungeschütztem Kopf oder Nacken Besonders gefährdet: Säuglinge, Kleinkinder, Kahlköpfige **Erste-Hilfe-Maßnahmen siehe S. 103**
Hitzschlag	• Überhitzung des Körpers insbesondere bei langen Tätigkeiten in der Hitze **Erste-Hilfe-Maßnahmen siehe S. 102**

Maßnahmen bei Bewusstseinsstörungen/Bewusstlosigkeit

Eigenschutz wahren – Gefahrenstelle sichern/neutralisieren
Betroffenen ggf. aus Gefahrenbereich retten

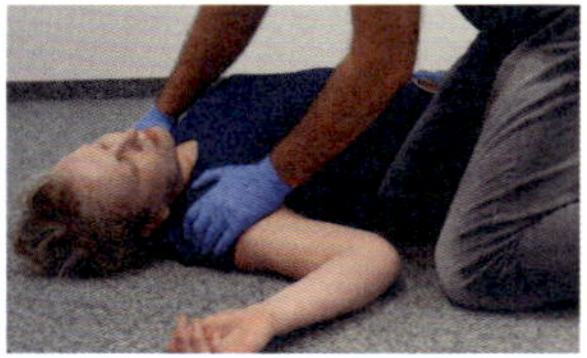

Betroffenen ansprechen, leicht an der Schulter rütteln

Reaktion – NEIN

Reaktion – JA

Um Hilfe rufen

Notruf durch 2. Helfer

112 (Deutschland) | 144 (Österreich) | 144 (Schweiz)

Erste Hilfe nach Bedarf

Betroffenen auf den Rücken drehen

Atemwege freimachen

Kopf überstrecken

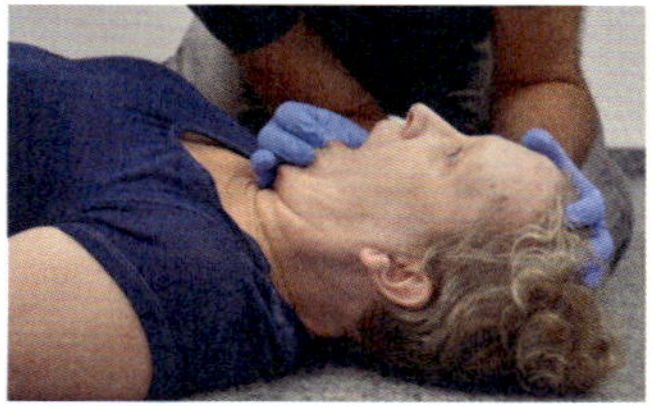

Achtung
Bei Bewusstlosigkeit besteht akute Lebensgefahr!

Erste-Hilfe-Maßnahmen

Atmung normal?

- **JA** → **Stabile Seitenlage S. 45**
- **NEIN** → **Herz-Lungen-Wiederbelebung, S. 50**

Stabile Seitenlage

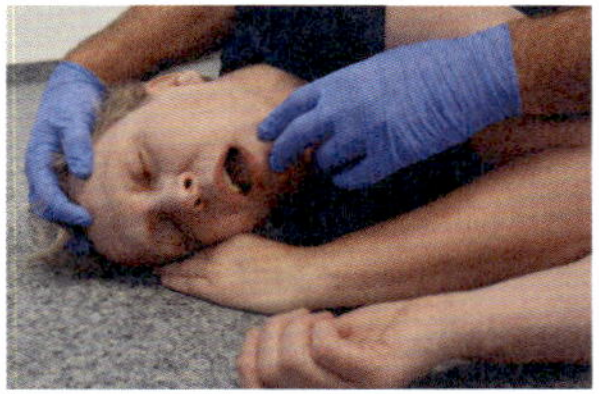

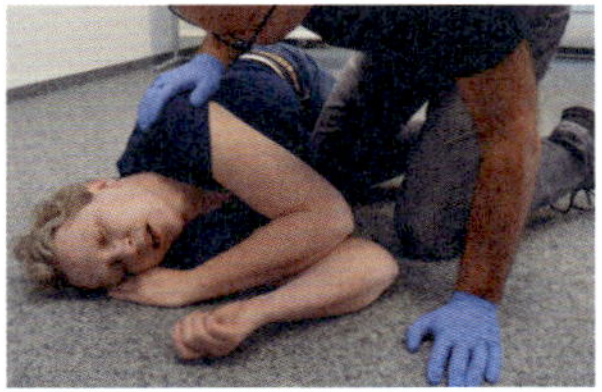

Wiederbelebung

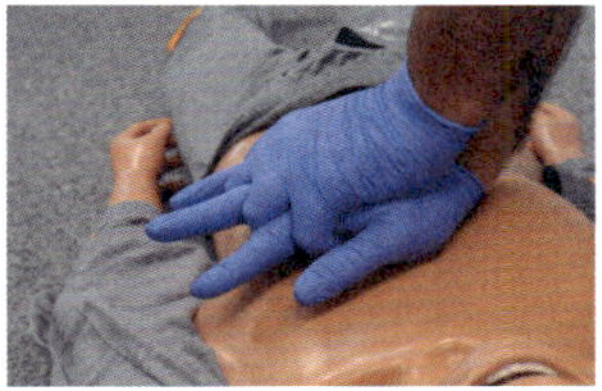

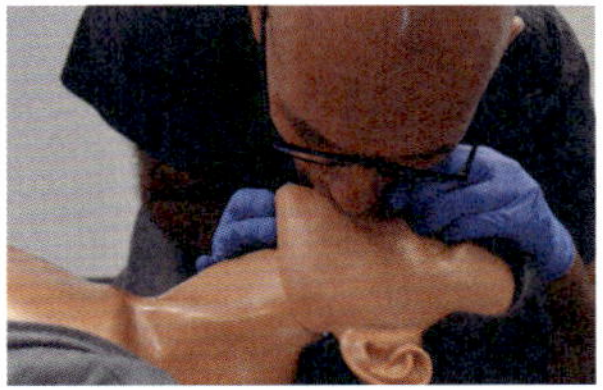

Bewusstlosigkeit mit Atemstillstand

Eigenschutz wahren – Gefahrenstelle sichern/neutralisieren
Betroffenen ggf. aus Gefahrenbereich retten

Betroffenen ansprechen, leicht an der Schulter rütteln

keine Reaktion

Notruf 112 144 144

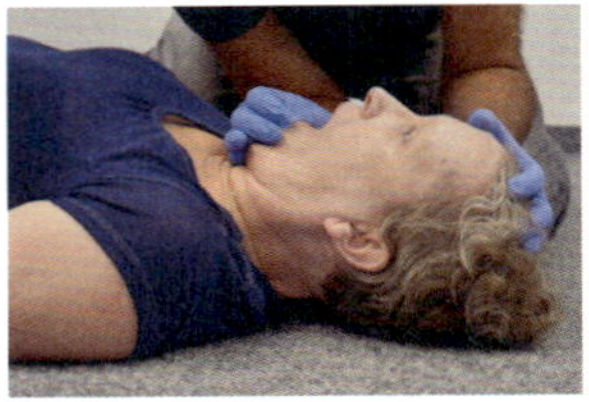

Betroffenen auf den Rücken drehen

Atemwege freimachen/Kopf überstrecken

Keine normale Atmung

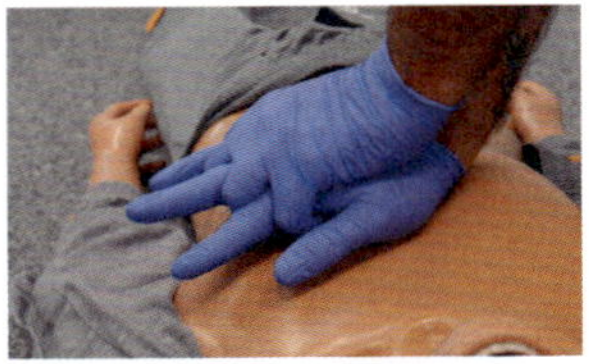

Wiederbelebungsmaßnahmen beginnen

Herzdruckmassage
Brustbein 5-6 cm tief eindrücken 30-mal
Frequenz: 100 bis 120x pro Minute

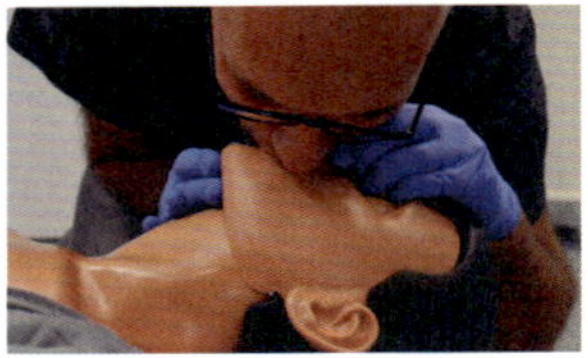

Atemspende 2x
Wirkung der Maßnahmen beobachten
Maximal 10 Sekunden Herzdruckmassage für die Atemspende unterbrechen

Im Rhythmus 30:2 weitermachem

Bewusstlosigkeit mit normaler Atmung

Eigenschutz wahren – Gefahrenstelle sichern/neutralisieren
Betroffenen ggf. aus Gefahrenbereich retten

Betroffenen ansprechen, leicht an der Schulter rütteln

keine Reaktion

Notruf 🇩🇪 112 🇦🇹 144 🇨🇭 144

Betroffenen auf den Rücken drehen

Atemwege freimachen/Kopf überstrecken

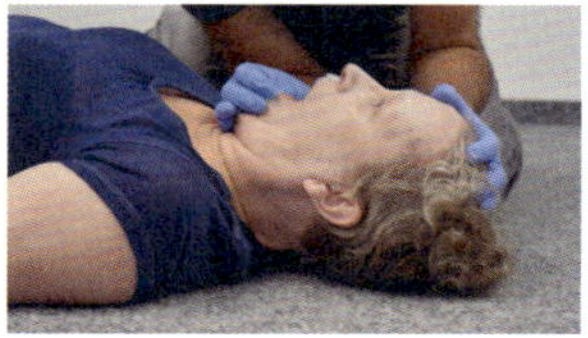

Normale Atmung

Stabile Seitenlage

Nahe liegenden Arm anwinkeln und nach oben legen. Gegen überliegenden Arm greifen.

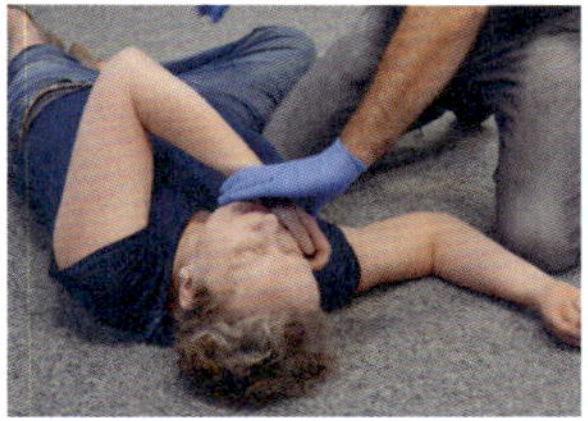

Griff an den gegenüberliegenden Oberschenkel

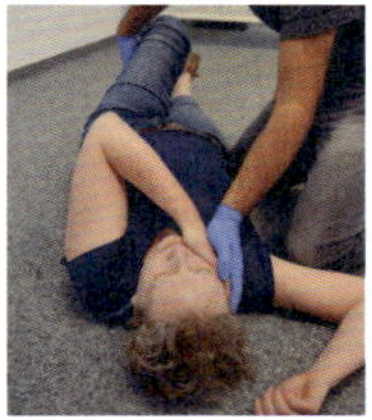

Person herüberziehen

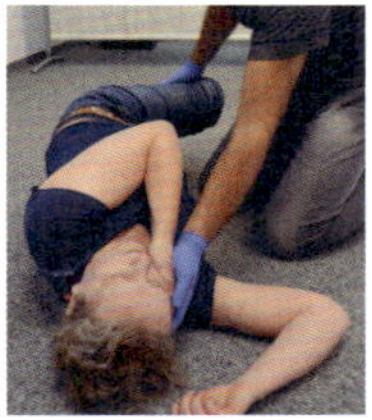

Kopf überstrecken und Mund nach unten drehen

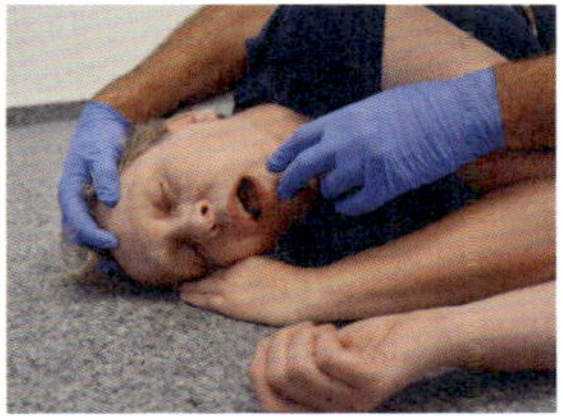

Bewusstsein/Atmung kontrollieren

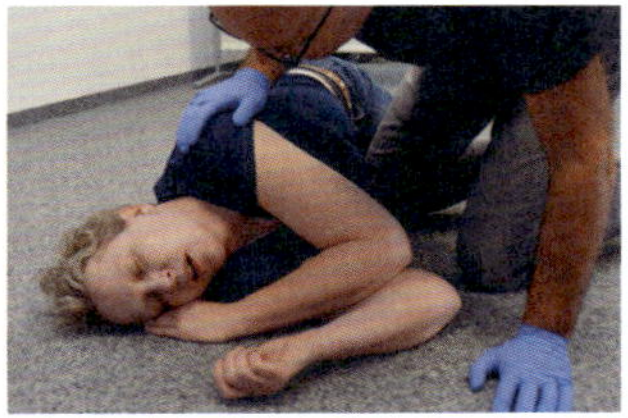

Schlaganfall

Anzeichen

- Schwäche, Lähmung, Taubheitsgefühl in Gesicht, Arm, Bein auf einer Körperseite (schlaff herabhängender Arm, hängender Mundwinkel, Speichelfluss aus dem Mund)
- Verwirrtheit
- Verwaschene Sprache oder andere Sprachstörungen
- Verständnisschwierigkeiten
- Sehstörungen – einseitig oder beidseitig
- Gangstörungen
- Schwindel
- Gleichgewichtsstörungen
- Koordinationsstörungen
- Starke Kopfschmerzen

Erkennen

FAST-Test

Betroffenen auffodern:
- Zähne zu zeigen
- beide Arme mit den Handflächen nach oben ausstrecken
- Satz nachsprechen – z. B. Morgenstund hat Gold im Mund

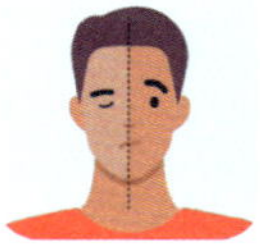

Was	NORMAL	UNNORMAL (ggf. Anzeigen für Schlaganfall)
F = Gesicht (Face)	Beide Gesichtshälften bewegen sich gleichmäßig	Eine Gesichtshälfte bewegt sich schlechter/nicht Mundwinkel hängt
A = Arme	Bewusste Bewegung beider Arme	Ein Arm sinkt ab oder lässt sich nicht heben
S = Sprache	Sprachverständnis vorhanden Satz nachsprechen fehlerfrei	Mangelndes Sprachverständnis Satz nachsprechen nicht deutlich möglich
T = Zeit (Time)	Zeitkritischer Notfall → bei Bewertung einzelner Kriterien als abnormal sofort Rettungsdienst verständigen	

Wichtig
Verständigen Sie bei diesen Anzeichen sofort den Rettungsdienst!
Die Anzeichen für einen Schlaganfall treten plötzlich auf!

Eigenschutz wahren – Gefahrenstelle sichern/neutralisieren
Betroffenen ggf. aus Gefahrenbereich retten

Reaktion auf Reize und Ansprache?

Reaktion vorhanden

- Lage beibehalten wie vorgefunden, wenn keine Gefahr besteht
- Hilfe holen
- Notruf 112 (DE) 144 (AT) 144 (CH)
- Betroffenen mit erhöhtem Oberkörper positionieren
- Beengende Kleidung öffnen
- Bewusstseinszustand kontinuierlich prüfen
- Für Frischluftzufuhr sorgen

Keine Reaktion

- Hilfe holen
- Notruf 112 (DE) 144 (AT) 144 (CH)
- Betroffenen auf den Rücken legen
- Atemwege freimachen → S.X
- Atemkontrolle
- Atmung normal
- Betroffenen in stabile Seitenlage bringen → S. 45

Wichtig
Legen Sie den Betroffenen bei der Lähmung einer Körperseite nicht auf diese Seite!
Lassen Sie den Betroffenen nicht allein und wiederholen Sie die Atemkontrolle regelmäßig!

Krampfanfall (Epileptischer Anfall)

Mögliche Anzeichen

Kleiner Anfall
- Kurzfristige Unterbrechung einer Tätigkeit
- Kurzfristige Verhaltensänderung
- Schmatzen oder Nesteln
- Zuckungen einzelner Muskelgruppen (lokal begrenzt z. B. in der Hand oder im Gesicht)
- Betroffener kann sich an die Ausfallserscheinungen nicht erinnern

→ **ERSTE HILFE NICHT NOTWENDIG**

Großer Anfall
- Plötzliches Hinfallen
- Kurzzeitig Atemstillstand mit blau verfärbten Lippen möglich
- Krampfphase mit (blutigem) Schaum aus dem Mund
- Gefahr des Zungenbisses
- Urin-/Stuhlabgang
- Nach Krampfphase Tiefschlafphase

→ **ERSTE-HILFE NOTWENDIG!**

Erste-Hilfe-Maßnahmen bei einem großen (generalisierten Krampfanfall)

1. **Eigenschutz wahren**
2. **Um Hilfe rufen**
3. **Betroffenen beim Sturz abfangen (wenn möglich)**
4. **Notruf** 🇩🇪 112 🇦🇹 144 🇨🇭 144
5. **Betroffenen nicht festhalten**
6. **Nichts in den Mund stecken**
7. **Betroffenen vor umliegenden Gegenständen schützen**
8. **Kopf unterpolstern**

Erste-Hilfe-Maßnahmen nach dem Ende des Krampfanfalls

Eigenschutz wahren – Gefahrenstelle sichern/neutralisieren
Betroffenen ggf. aus Gefahrenbereich retten

Reaktion auf Reize und Ansprache?

Reaktion JA
→ **Bewusstsein und Atmung kontinuierlich überwachen**

Keine Reaktion
→ **Atmung normal?**

- **JA** → **Stabile Seitenlage S. 45**
- **NEIN** → **Herz-Lungen-Wiederbelebung, S. 50**

Stabile Seitenlage

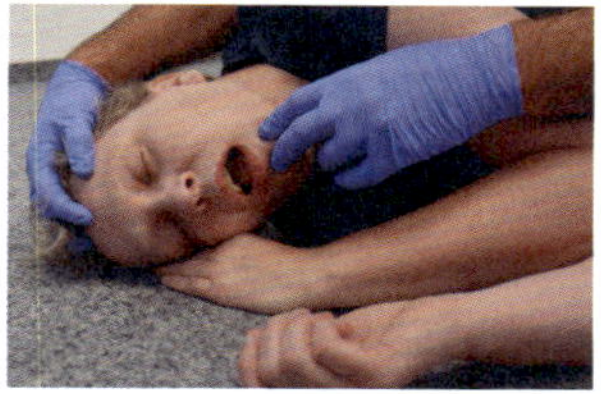

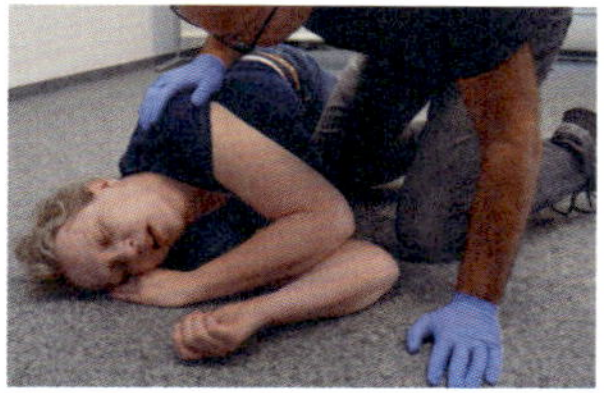

Wiederbelebung

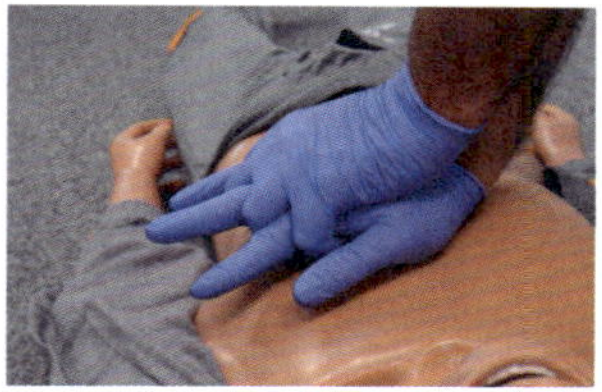

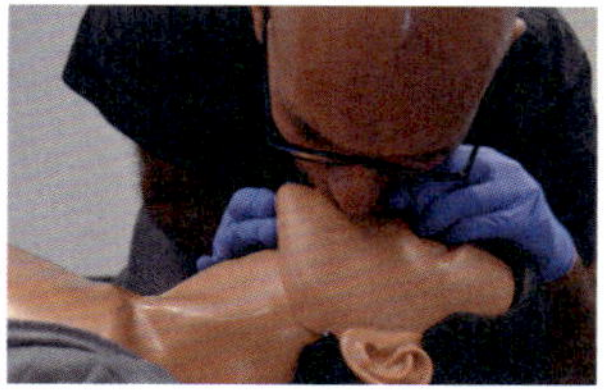

Bewusstlosigkeit durch Unterzuckerung

Anzeichen

- Kopfschmerzen
- Zittern
- Ohnmacht
- Nasskalte Haut
- Konzentrationsprobleme
- Bewusstseinseintrübung
- Unruhe
- Schwäche
- Hunger
- Schweißausbruch
- Verwirrtheit
- Bewusstslosigkeit

Ursache

- unzureichende Kohlenhydratzufuhr

Gründe

- blutzuckersenkende Medikamente ohne ausreichende Kohlenhydratzufuhr
- erhöhter Kohlenhydratverbrauch
- keine ausreichende Kohlenhydratzufuhr

Erste-Hilfe-Maßnamen bei Reaktion auf Reize und Ansprache

Eigenschutz wahren – Gefahrenstelle sichern/neutralisieren
Betroffenen ggf. aus Gefahrenbereich retten

Reaktion auf Reize und Ansprache?

Situationsgerecht positionieren

Beengende Kleidung öffnen – für Frischluftzufuhr sorgen –
Auskühlen verhindern – Betroffenen beruhigen

Um Hilfe rufen

Notruf 112 144 144

Letzte Nahrungsaufnahme/Insulinzufuhr abfragen

↓

Schnell aufnehmbare Kohlenhydrate zuführen (z. B. Traubenzucker, zuckerhaltige Getränke)

Erste-Hilfe-Maßnahmen – Betroffener reagiert nicht auf Reize oder Ansprache

Um Hilfe rufen

Notruf 🇩🇪 112 🇦🇹 144 🇨🇭 144

Atmung normal?

JA	**NEIN**
↓	↓
Stabile Seitenlage S. 45	**Herz-Lungen-Wiederbelebung, S. 50**

Stabile Seitenlage

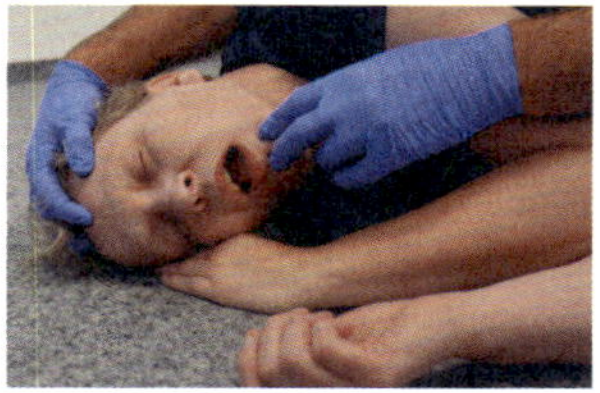

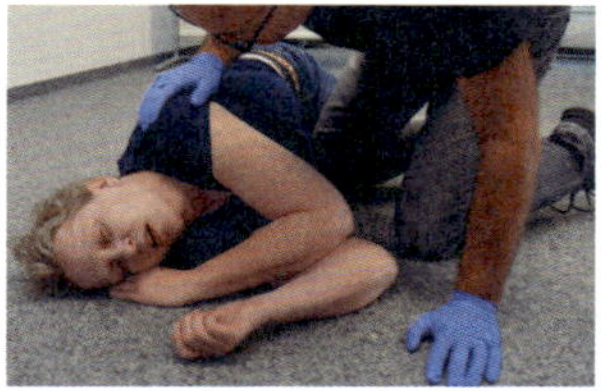

Wiederbelebung

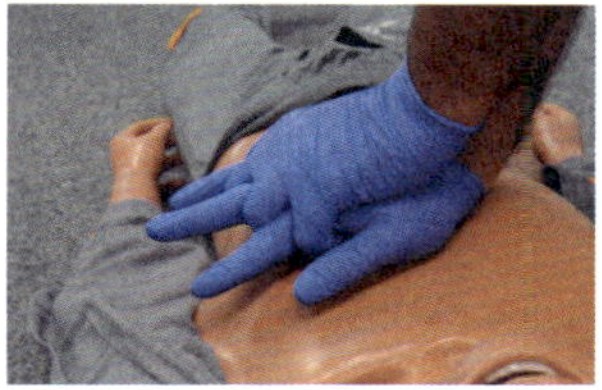

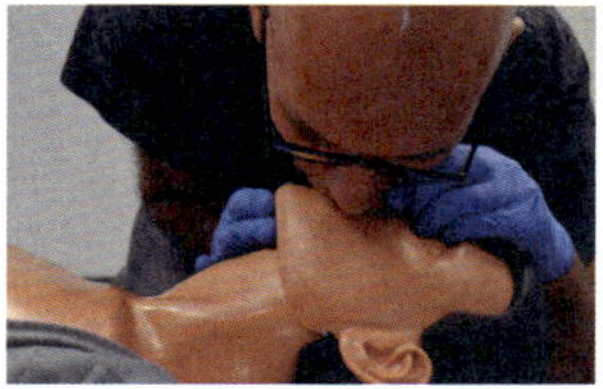

ATEMSTÖRUNGEN

Leitsymptom Atemstörungen – allgemeiner Ablauf

Medizinischer Notfall

Eigenschutz wahren – Gefahrenstelle sichern/neutralisieren
Betroffenen ggf. aus Gefahrenbereich retten

Bewusstsein prüfen

Um Hilfe rufen

Notruf 112 144 144

Atmung normal?

JA	**NEIN**
Stabile Seitenlage S. 45	**Herz-Lungen-Wiederbelebung, S. 50**

Stabile Seitenlage

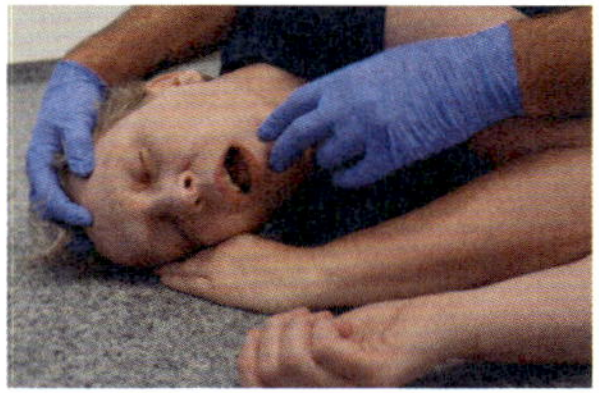

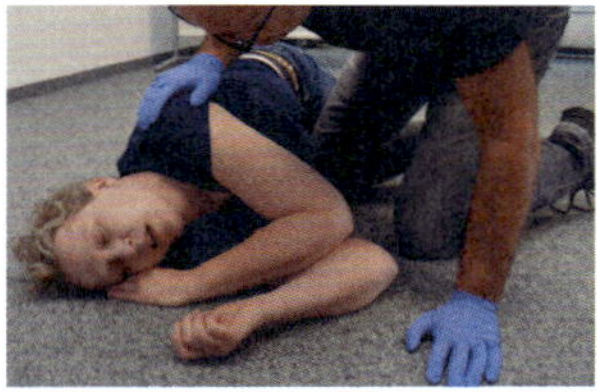

Wiederbelebung

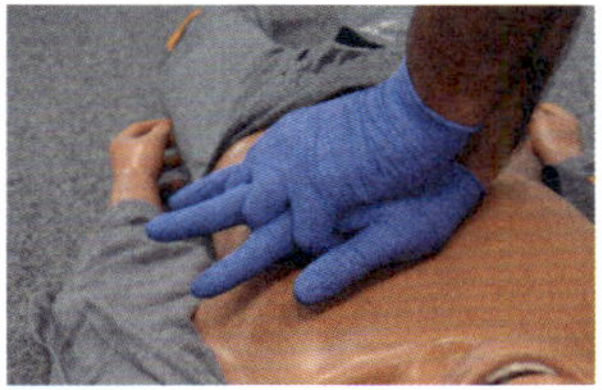

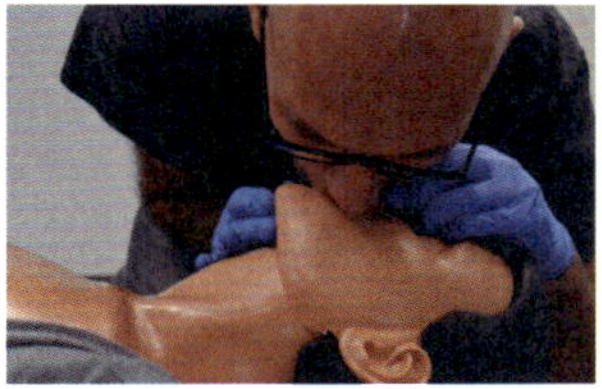

Atemstörungen – Anzeichen

Blauverfärbung der Haut und der Schleimhäute

Besonders auffallend: Lippen, Zunge, Fingernägel

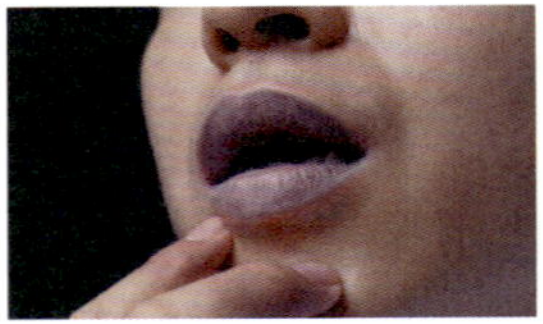

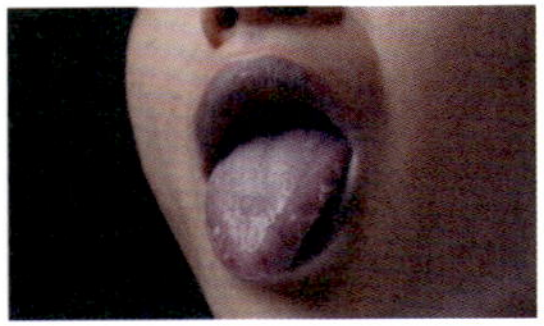

Einsatz der Atemhilfsmuskulatur
Arme nach vorne und ausgestreckt aufstützen (im Stehen oder Sitzen)

Atemgeräusche
Brodeln, Rasseln, Pfeifen, Brummen

Ungewöhnliche Brustkorbbewegungen
Beispiel: Brustkorb bewegt sich nur einseitig

Gefühl der Atemnot

Abweichung bei der Atemgeschwindigkeit
Normal: 12 bis 16-mal pro Minute
Zeichen für eine Atemstörung: langsamer oder schneller, verlängerte Atempausen

Atemstillstand
Keine Atmung oder Schnappatmung mit untypischen Atemgeräuschen (erinnert an Schnarchgeräusche)

Ursachen einer Atemstörung/eines Atemstillstands

Hinweis
Grundsätzlich gilt: Erkrankungen, Verletzungen, Vergiftungen und Umwelteinflüsse können zu Bewusstseinsstörungen und Bewusstlosigkeit führen!

Ursache	Wichtig zu wissen	
Fremdkörper	Was passiert?	Atemwege durch Fremdkörper wie z. B. Speisen oder Gegenstände verlegt
	Anzeichen	Atemnot, Panik, Würgen, Husten, massive Atemnot, stummes Husten, Blauverfärbung der Haut/Lippen **Erste-Hilfe-Maßnahmen siehe S. 76**
Asthma(-Anfall)	Was passiert?	Verengung der Bronchien, Bildung von zähem Schleim, Anschwellen der Schleimhaut im Bereich der Bronchien
	Auslöser	Allergische Reaktion, psychische Belastung, Kälte usw.
	Anzeichen	Massive Atemnot, evt. Blauverfärbung der Lippen, pfeifendes Atemgeräusch, verlängerte Ausatempause **Erste-Hilfe-Maßnahmen siehe S. 78**
COPD/Chron. Bronchitis	Anzeichen	Vergleichbar mit einem Asthma-Anfall **Erste-Hilfe-Maßnahmen siehe S. 78**

Vergiftungen	Wodurch?	• feste, gasförmige oder flüssige Substanzen • Stoffwechselentgleisungen, Nieren- oder Leberinsuffizienz
	Anzeichen	Atemnot, Blauverfärbung von Haut und Schleimhäuten, Einsatz der Atemhilfsmuskulatur, Atemgeräusche, Atemgeschwindigkeit und -rhythmus verändert, Atemstillstand **Erste-Hilfe-Maßnahmen siehe S. 105 (feste, flüssige Substanzen), S. 107 (Gas)**
Verletzung des Brustkorbs	Anzeichen	Atemnot, Schmerzen im Bereich der Verletzung, Blauverfärbung der Haut/Schleimhäute, oberflächliche Atmung, schnelle Atmung, Einsetzen der Atemhilfsmuskulatur, ungewöhnliche Brustkorbbewegungen **Erste-Hilfe-Maßnahmen siehe S. 87**
Lungenembolie	Wodurch?	Verlegung der Gefäße, die die Lungen mit Blut versorgen
	Anzeichen	Atemnot, Schmerzen in der Brust, Blauverfärbung der Haut/Schleimhäute, schnelle Atmung, Einsetzen der Atemhilfsmuskulatur **Erste-Hilfe-Maßnahmen siehe S. 75**

Lungenembolie

Anzeichen
Atemnot, Schmerzen in der Brust, Blauverfärbung der Haut/Schleimhäute, schnelle Atmung, Einsetzen der Atemhilfsmuskulatur

Eigenschutz wahren – Gefahrenstelle sichern/neutralisieren
Betroffenen ggf. aus Gefahrenbereich retten

Bewusstseinslage prüfen

Reaktion auf Ansprache oder Reize | **keine Reaktion auf Reize oder Ansprache**

Um Hilfe rufen

Notruf 112 144 144

Reaktion auf Ansprache oder Reize:

- **Betroffenen in sitzender Körperhaltung positionieren**
- **Einsatz Atemhilfsmuskulatur ermöglichen**

keine Reaktion auf Reize oder Ansprache:

- **Atemkontrolle**
  - **Atmung** → **Stabile Seitenlage** → **Atmung kontinuierlich prüfen**
  - **keine Atmung** → **Herz-Lungen-Wiederbelebung**

Beengende Kleidung öffnen – für Frischluftzufuhr sorgen – Auskühlen verhindern – Betroffenen beruhigen

Bewusstseinszustand und Atmung kontinuierlich überprüfen

ATEMSTÖRUNGEN

ATEMSTÖRUNGEN

Atemwegsverlegung durch Fremdkörper

Anzeichen
Atemnot, Panik, Würgen, Husten, massive Atemnot, stummes Husten, Blauverfärbung der Haut/Lippen

Betroffener ansprechbar, kann kurze Antworten geben

Verlegung leicht

Betroffenen zum Husten auffordern

Seitlich hinter den Betroffenen stellen

Betroffener soll den Oberkörper nach vorne beugen

Mit einer Hand den Oberkörper stützen

Mit Handballen 5-mal kräftig zwischen die Schulterblätter schlagen
Nach jedem Schlag prüfen, ob Fremdkörper aus den Luftwegen beseitigt ist

Betroffenen zum Husten auffordern

Fremdkörper weiterhin in den Luftwegen

Betroffener kann nicht antworten, kann nur schwach husten, ringt deutlich nach Luft

Verlegung schwer

Hilfe holen

Notruf 🇩🇪 112 🇦🇹 144 🇨🇭 144

Wenn die Rückenschläge wirkungslos bleiben (Betroffener weiterhin bei Bewusstsein!)
Heimlich-Handgriff/-Manöver (Achtung: nur im Notfall ausführen, nicht üben!)

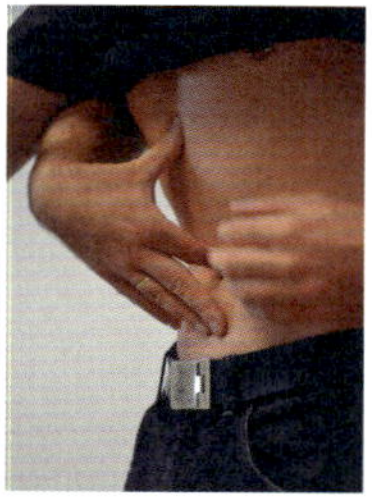

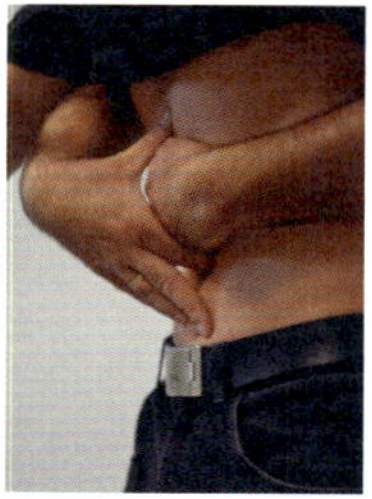

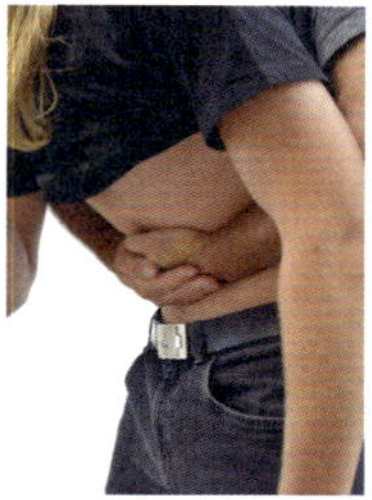

WICHTIG
Üben Sie diesen Handgriff nicht!
Achten Sie nach jedem Schlag/Druck darauf, ob die Verlegung beseitigt ist!
Beobachten Sie den Bewusstseinszustand!

Hinter den Betroffenen stellen

Betroffenen nach vorne lehnen

Beide Arme um den Oberbauch des Betroffenen legen

Eine Hand zur Faust ballen

Faust unterhalb des Brustbeins auflegen

Umfassen der Faust mit der anderen Hand

5-mal ruckartig nach hinten oben drücken

Danach 5x Schlagen und 5x Heimlich-Handgriff

Asthma-Anfall/massive Atemstörungen durch COPD

Anzeichen
massive Atemnot, Blauverfärbung der Lippen, pfeifendes Atemgeräusch, verlängerte Ausatemphase

Reaktion auf Ansprache und Reize

Eigenschutz wahren – Gefahrenstelle sichern/neutralisieren
Betroffenen ggf. aus Gefahrenbereich retten

Keine Gefährdung für den Betroffenen oder Anwesende

Sitzende Körperhaltung ermöglichen

Einsatz der Atemhilfsmuskulatur ermöglichen
Ggf. Unterstützung der Atemhilfsmuskulatur

Beengende Kleidung öffnen

Für Frischluftzuhr sorgen

Bedarfsmedikamente verabreichen

Hilfe holen

Notruf 🇩🇪 112 🇦🇹 144 🇨🇭 144

Betroffenen beruhigen

↓

Atmung weiterhin kontrollieren

Betroffener nicht ansprechbar, reagiert nicht auf Reize

Um Hilfe rufen

Notruf 🇩🇪 112 🇦🇹 144 🇨🇭 144

Atmung normal?

JA	**NEIN**
Stabile Seitenlage S. 45	**Herz-Lungen-Wiederbelebung, S. 50**

Stabile Seitenlage

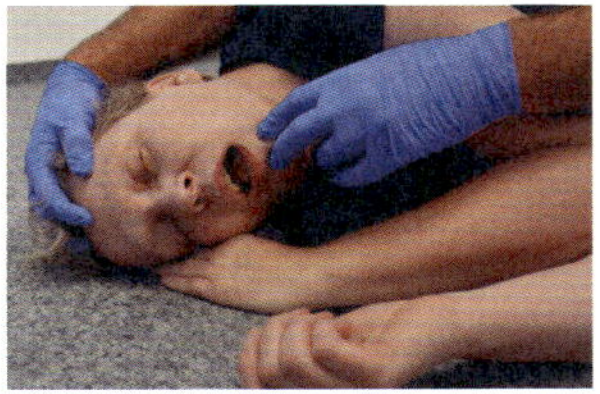

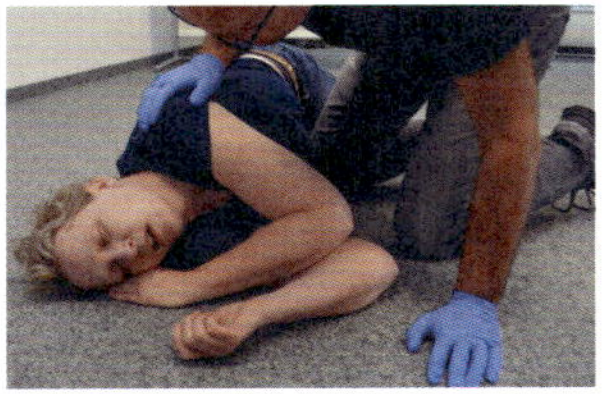

Wiederbelebung

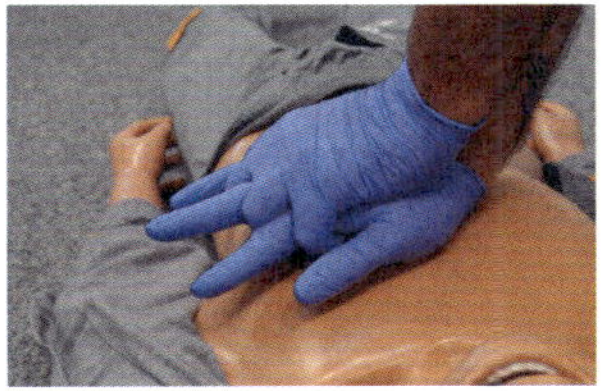

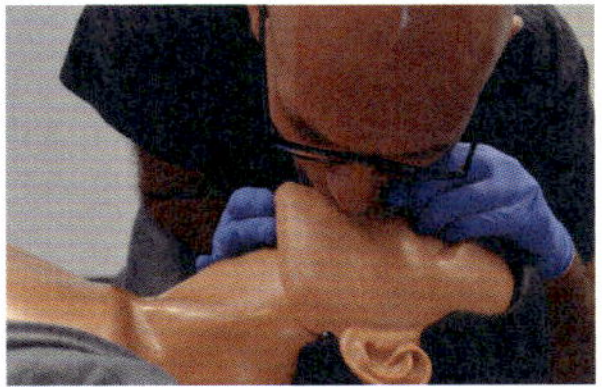

BLUTUNGEN, VERLETZUNGEN, FRAKTUREN

Überblick Blutungen, Verletzungen und Frakturen

Blutungen

- innerlich oder äußerlich
- spritzend
- stark quellend

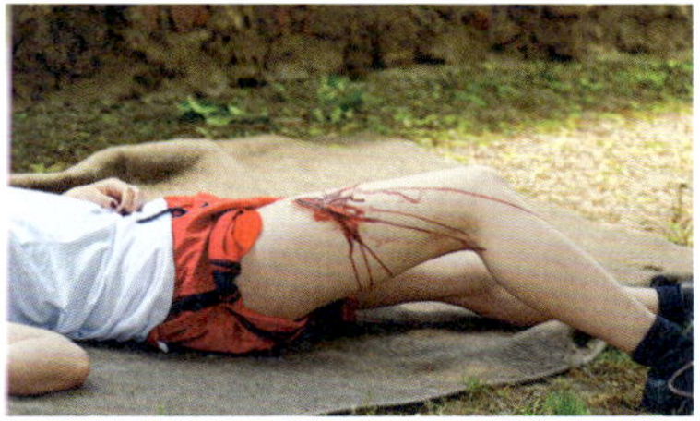

Wunden

- Schürfwunden
- Schnittwunden
- Risswunden
- Stich-, Schusswunden, Wunden durch Fremdkörper
- Amputationsverletzungen
- Geschlossene Wunden (Hämatome)
- Verbrennungen, Verbrühungen
- Verätzungen

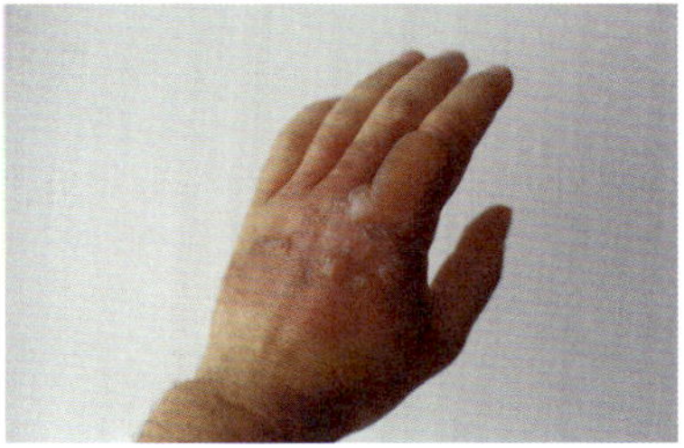

Weitere Verletzungen

- offene Knochenbrüche
- geschlossene Knochenbrüche
- Verrenkungen
- Verstauchungen
- Verbrennungen, Verbrühungen
- Verätzungen

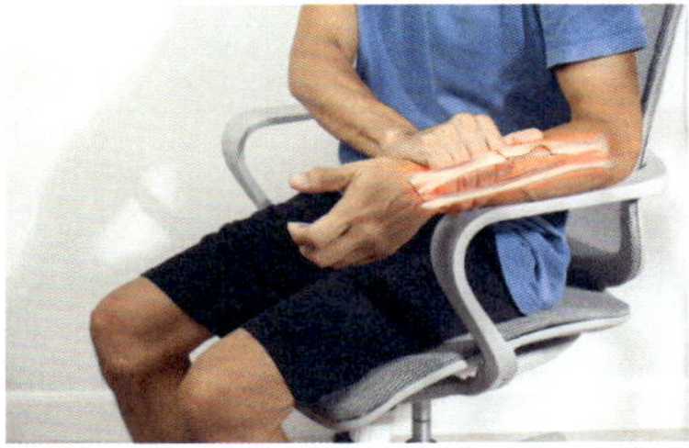

Starke Blutungen

Anzeichen:
Blut spritzt aus der Wunde
Blut quillt kontinuierlich aus der Wunde

Blutung lebensbedrohlich

Eigenschutz beachten – Einmalhandschuhe anziehen
Gefahrenstelle sichern/neutralisieren
Betroffenen ggf. aus Gefahrenbereich retten

Prüfung Bewusstsein und Atmung – Schockgefahr!

Betroffener ansprechbar, Reaktion auf Reize

Fingerdruck auf die Wunde

Hilfe holen

Notruf 112 144 144

Druckverband anlegen

ACHTUNG
Bei starken Blutungen besteht Lebensgefahr!

SCHOCK – ANZEICHEN
- Blasse, kalte Haut
- Kältegefühl, Zittern
- Kalter, klebriger Schweiß
- Schnelle, flache Atmung
- schneller Puls
- Angst
- Bewusstseinsveränderung, Bewusstlosigkeit

Betroffener nicht ansprechbar, keine Reaktion auf Reize

Notruf 112 144 144

Atmung normal

Stabile Seitenlage

Druckverband anlegen

Atmung nicht normal

Herz-Lungen-Wiederbelebung

Kontinuierlich Bewusstsein und Atmung prüfen

Beengende Kleidung öffnen – für Frischluftzufuhr sorgen – Auskühlen verhindern – Betroffenen beruhigen

Druckverband am Arm anlegen

Handschuhe anziehen

↓

Arm hochhalten

↓

Sterile Wundauflage auf die blutende Wunde legen

↓

Druck auf die Wundauflage mit den Fingern

↓

Druckkörper auf die Wundauflage legen

↓

Wundauflage und Druckkörper mit einem Dreieckstuch oder Verbandbinde fixieren

Zu beachten

- Eigenschutz beachten
  → Einmalhandschuhe anziehen
- Keine sterile Wundauflage verfügbar
  → sauberes Tuch/sauberen Stoff verwenden
- Druckkörper: festes, saugfähiges Material, nicht verfügbar dann Druck mit den Fingern ausüben
- Druckkörper mindestens Größe der Wunde

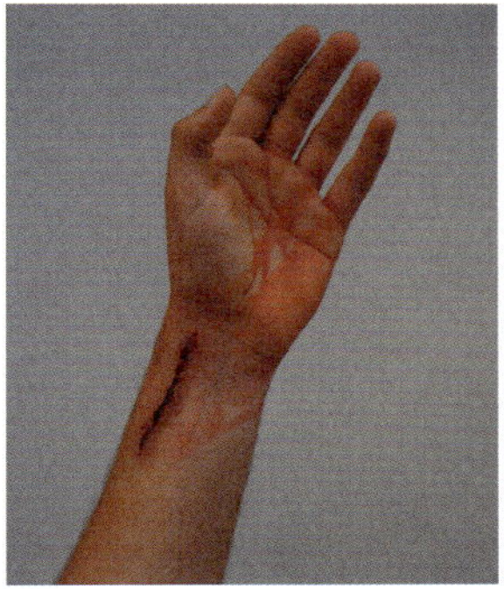

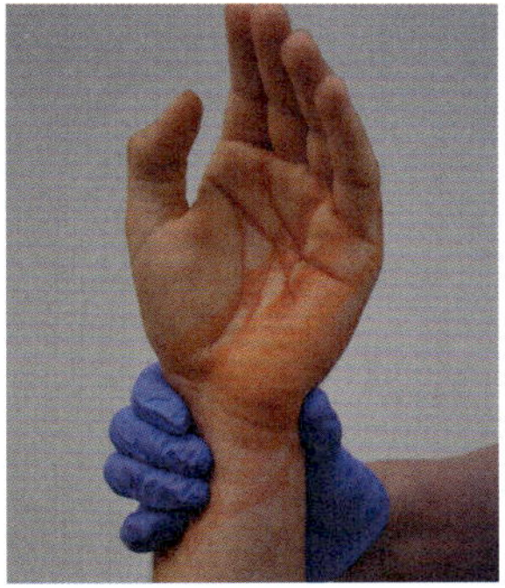

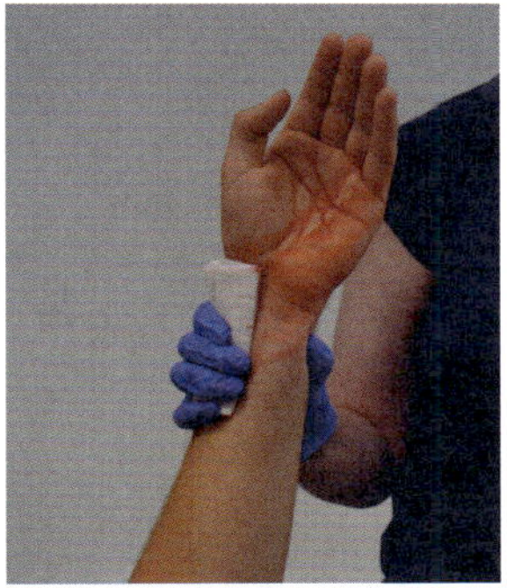

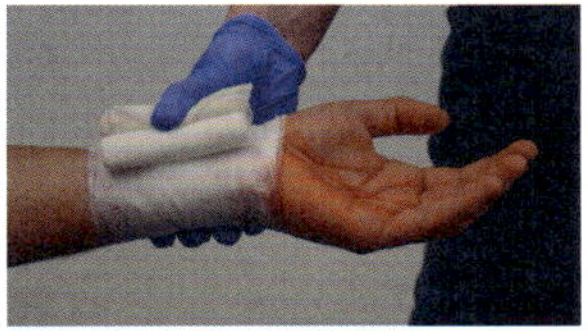

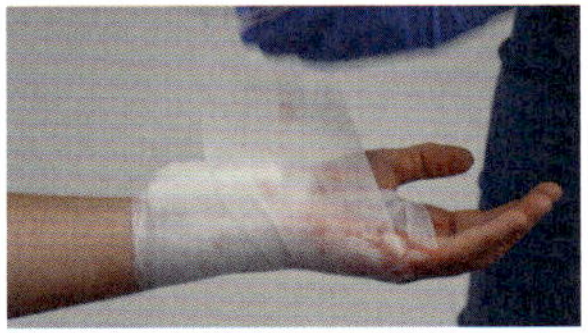

Druckverband am Bein anlegen

Eigenschutz beachten – Einmalhandschuhe anziehen

↓

Betroffenen auf den Rücken legen

↓

Sterile Wundauflage auf die blutende Wunde legen

↓

Druck auf die Wundauflage mit den Fingern

↓

Druckkörper auf die Wundauflage legen

↓

Wundauflage und Druckkörper mit einem Dreieckstuch oder Verbandbinde fixieren

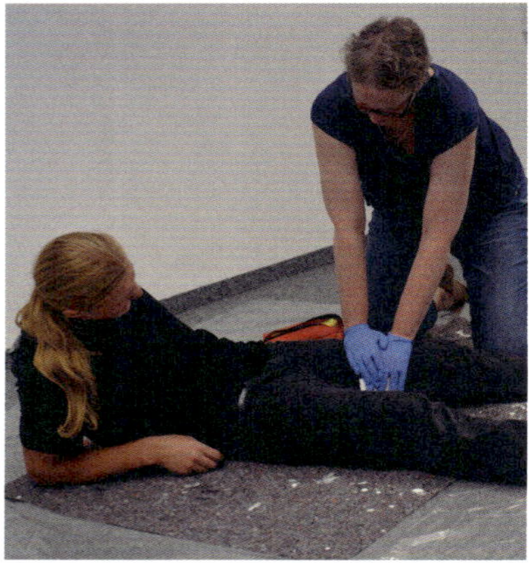

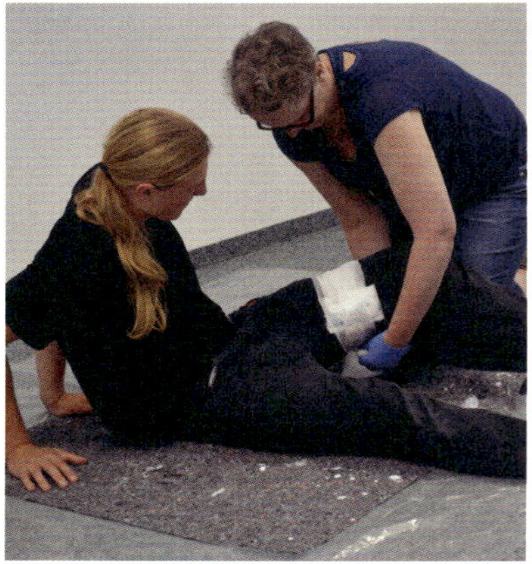

Innere Blutungen (Brustkorb, Bauch, Becken)

Was Verletzung der inneren Organe im Bereich von Brustkorb, Bauch und Becken

Ursachen Sturz, Aufprall auf dem Lenker, Raufereien, Schlagverletzungen

Anzeichen Keine äußeren Anzeichen einer Blutung
Schmerzen
Kreislaufstörungen
Schockzeichen

Eigenschutz wahren – Gefahrenstelle sichern/neutralisieren – Betroffenen ggf. aus Gefahrenbereich retten

Bewusstsein kontrollieren

Betroffener ansprechbar, Reaktion auf Reize | **Betroffner nicht ansprechbar, keine Reaktion auf Reize**

Notruf 112 144 144

Situationsgerecht positionieren (Schonhaltung) | **Atmung vorhanden** → **Stabile Seitenlage**

Kontinuierlich Bewusstsein und Atmung kontrollieren

Beengende Kleidung öffnen – für Frischluftzufuhr sorgen – Auskühlen verhindern – Betroffenen beruhigen

Wunden

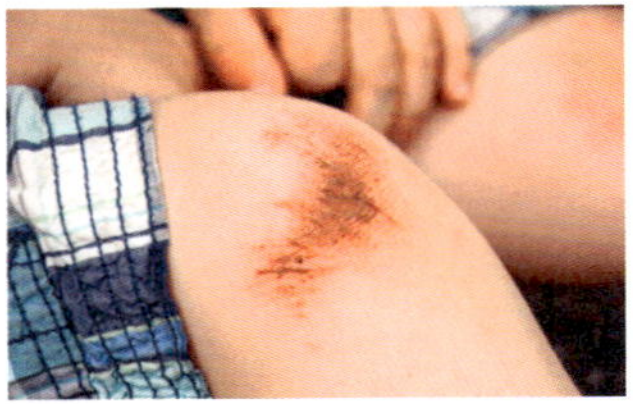

Schürfwunden
- Verletzung der obersten Hautschicht
- Geringe Blutung

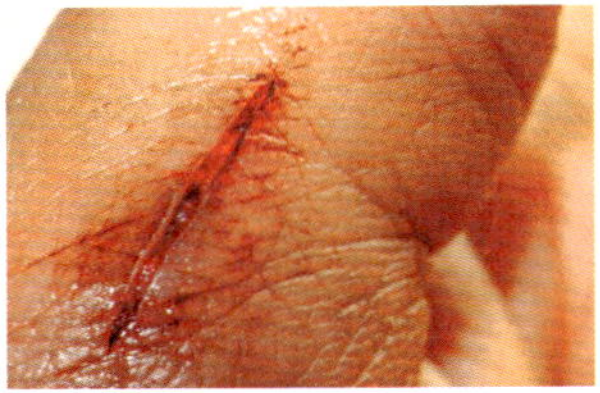

Schnittverletzungen
- Verletzung aller Hautschichten
- Blutung je nach Größe und Ort der Verletzung

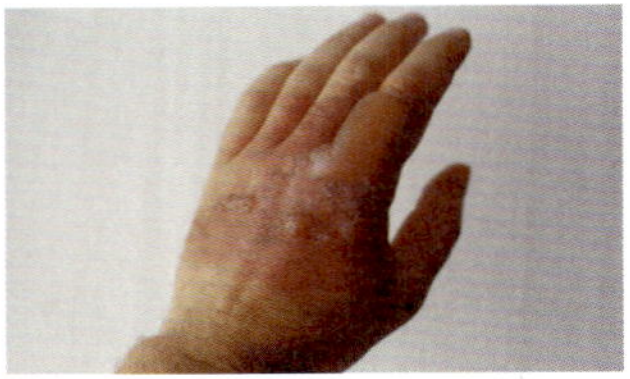

Verbrennungen
- Schädigung durch Feuer/heiße Gegenstände

Verbrühungen
- Schädigung durch Flüssigkeiten oder Dämpfe

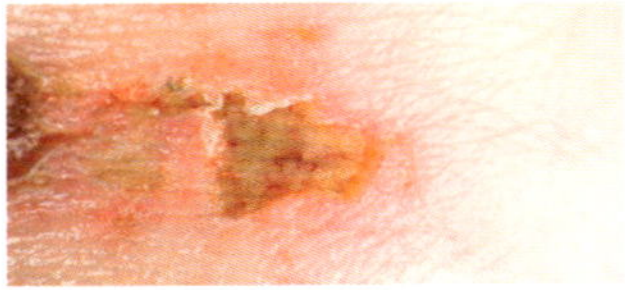

Verätzungen
- Schädigung durch Säuren oder Laugen

Stichwunden/Schusswunden/Fremdkörper
- Sichtbare Wunde ggf. sehr klein und unscheinbar
- Tiefe der Verletzung nicht erkennbar
- Verletzungen ggf. lebensbedrohlich

Rissquetschwunden
- Verschiebung des Gewebes bis zum Aufplatzen der Haut
- Blutung je nach Größe und Ort der Verletzung

Erste-Hilfe-Maßnahmen bei Wunden

Eigenschutz beachten – Einmalhandschuhe anziehen

↓

Wunden keimfrei abdecken

↓

Wundauflage mit Mullbinde, Dreiecktuch oder Klebestreifen fixieren

Zu beachten

- Eigenschutz beachten
  → Einmalhandschuhe anziehen
- Keine Salben auftragen
- Fremdkörper nicht entfernen
- Wundauflage nicht direkt auf dem Fremdkörper platzieren, Wundauflage am Wundrand auflegen

Ärztliche Behandlung notwendig bei

- Stichwunden
- Schusswunden
- Verletzung der Augen
- Verletzung der Genitalien
- Verletzung von Hand- oder Fußrücken
- Verletzungen über Gelenken
- Klaffende Wunden
- Verbrennungen/Verbrühungen
- Wunden mit Fremdkörpern
- Bisswunden
- Insektenstichen
- Kein Tetanusschutz/nicht ausreichender Tetanusschutz

Amputationen

Eigenschutz beachten – Einmalhandschuhe anziehen

Reaktion auf Reize und Ansprache

Betroffenen auf den Rücken legen

Kontinuierliche Überprüfung von Bewusstsein und Atmung

Starke Blutung

Blutstillung durch Druckverband auf der Wunde – S. 84

Hilfe holen

Notruf 🇩🇪 112 🇦🇹 144 🇨🇭 144

Amputat sicherstellen

Amputat in keimfreie Wundauflagen einwickeln

In Plastiksack geben und diesen gut verschließen

Sack in Behälter mit Eiswasser (Wassertemperatur 4 °C – nicht niedriger)

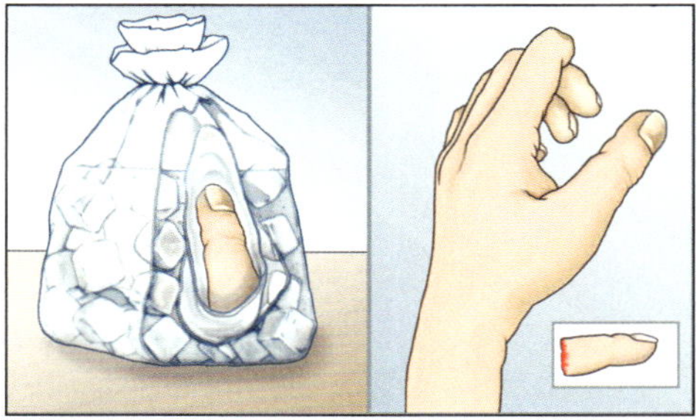

Beengende Kleidung öffnen – für Frischluftzufuhr sorgen – Auskühlen verhindern – Betroffenen beruhigen

Zu beachten

- Eigenschutz beachten → Einmalhandschuhe anziehen
- Die Versorgung des Betroffenen geht vor, die Versorgung des Amputats kommt erst nach der Blutstillung!

Verbrennungen/Verbrühungen

Betroffener reagiert auf Reize, ansprechbar

Eigenschutz beachten: Einmalhandschuhe anziehen – Gefahrenstelle sichern/neutralisieren – Betroffenen ggf. aus Gefahrenbereich retten

Betroffenen flach hinlegen

Bewusstseinszustand und Atmung kontinuierlich prüfen

Notruf 112 (DE) 144 (AT) 144 (CH)

Betroffenen Bereich mit kühlem Wasser (15-20 °C) kühlen

Kühlung abbrechen, wenn Betroffener fröstelt oder zittert

Wunde mit sterilem Verbandtuch bedecken – kein fester Verband (Gefahr des Verklebens mit der Wunde)

Auskühlung verhindern – Betroffenen beruhigen

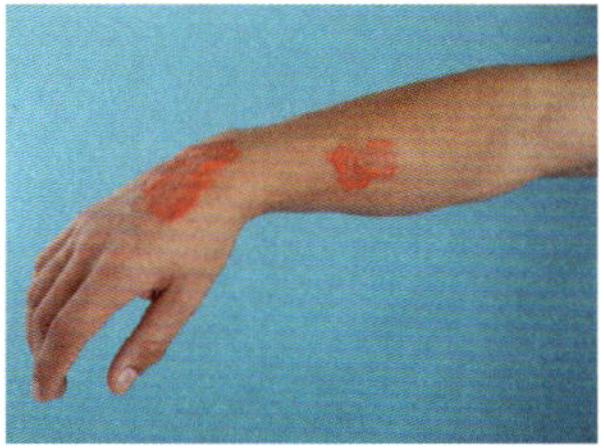

Zu beachten

- Eigenschutz beachten → Einmalhandschuhe anziehen
- Areal > zwei DIN-A4-Blätter nicht kühlen!
- Keine Brandsalben, Puder oder Hausmittel
- Brandblasen nicht aufstechen

Verätzungen

Zu beachten
- Keine Neutralisationsversuche

Betroffener reagiert auf Reize, ansprechbar

Eigenschutz beachten: Einmalhandschuhe anziehen – Gefahrenstelle sichern/neutralisieren – Betroffenen ggf. aus Gefahrenbereich retten

Betroffenen flach hinlegen

Bewusstseinszustand und Atmung kontinuierlich prüfen

Notruf 🇩🇪 112 🇦🇹 144 🇨🇭 144

Betroffenen Bereich mit handwarmen Wasser spülen

Achtung: nur betroffene Bereiche spülen
Ausgespülte Substanz darf nicht mit anderen Arealen in Berührung kommen!

Wunde mit sterilen Kompressen versorgen

Beengende Kleidung öffnen – für Frischluftzufuhr sorgen – Auskühlen verhindern – Betroffenen beruhigen

Knochenbrüche

Unsichere Zeichen
- Schmerzen
- Schwellungen
- Blutergüsse
- Bewegungseinschränkung
- Schonhaltung

Sichere Zeichen
- Fehlstellung von dem betroffenen Körperteil
- Unnatürliche Beweglichkeit des Körperteils
- Knochenbruchstücke in einer Wunde

Unterscheidung
- offene oder geschlossene Brüche

Achtung!
- Nicht provisorisch schienen
- Sofortmaßnahmen haben Vorrang vor einer Versorgung eines Knochenbruchs

Betroffener reagiert auf Reize, ansprechbar

Eigenschutz beachten – Einmalhandschuhe anziehen

Betroffenen flach hinlegen/Betroffenen so wenig wie möglich bewegen

Bewusstseinszustand und Atmung kontinuierlich prüfen

Notruf 112 (Deutschland) 144 (Österreich) 144 (Schweiz)

Bei offenen Wunden keimarme Wundauflage verwenden

Betroffenes Körperteil mit Dreiecktuch oder Umpolsterung ruhig stellen

Auskühlen vermeiden

Betroffenen beruhigen

Kopfverletzungen

Ursachen Schlag, Stoß, Aufprall

Unterscheidung äußere und innere Verletzungen

Anzeichen

Verletzungszeichen
- Sichtbare äußere Verletzungen (Platzwunden, Rissquetschwunden, blaue Flecke, Beulen, Blutungen)
- Blutungen aus Mund, Nase, Ohren

Anzeichen einer Gehirnerschütterung
- Übelkeit, Erbrechen
- Schwindel
- Kopfschmerzen

Bewusstseinslage (je nach Schwere der Verletzung)
- Keine Erinnerung an den Unfallhergang
- Bewusstseinseintrübungen
- Bewusstlosigkeit

Betroffener reagiert auf Reize, ansprechbar

Eigenschutz beachten – Einmalhandschuhe anziehen

Betroffenen mit leicht erhöhtem Oberkörper positionieren

Kopf stabilisieren (Achtung: nur im Bereich der Ohren anfassen)

Bewusstseinszustand und Atmung kontinuierlich prüfen

Notruf 112 144 144

Blutende Wunden: keimfreie Wundauflage

Betroffenen zudecken, Auskühlen vermeiden

Betroffener nicht ansprechbar, keine Reaktion auf Reize

Notruf 🇩🇪 112 🇦🇹 144 🇨🇭 144

Atmung normal	Atmung nicht normal
Stabile Seitenlage S. 45	Herz-Lungen-Wiederbelebung, S. 50
Blutende Wunden: keimfreie Wundauflage	
Auskühlen vermeiden (Betroffenen zudecken)	

Stabile Seitenlage

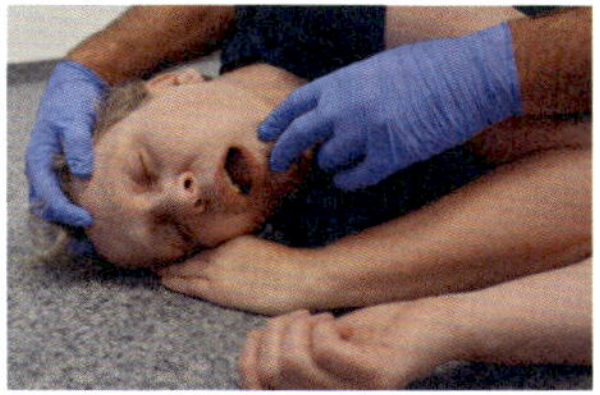

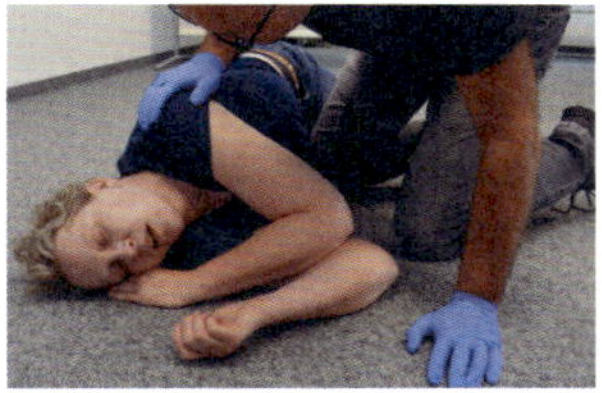

Wiederbelebung

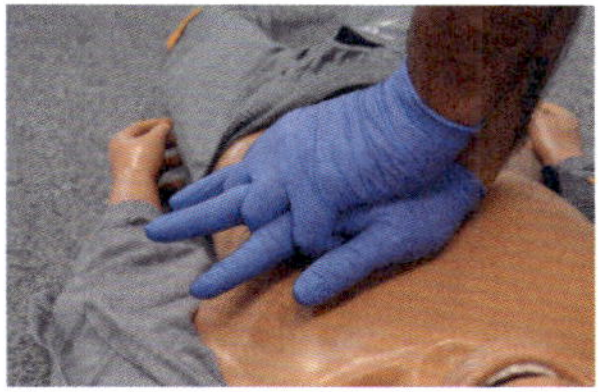

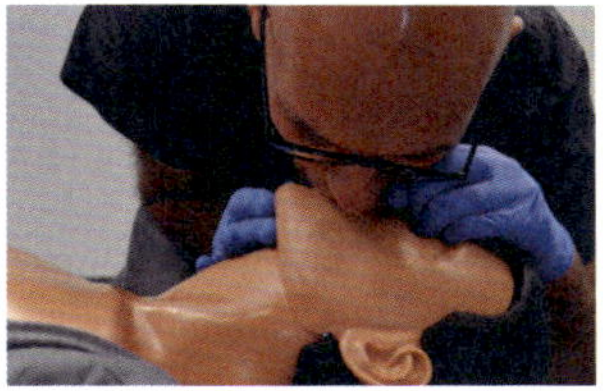

BLUTUNGEN, VERLETZUNGEN, FRAKTUREN

Augenverletzungen

Arten

- Fremdkörper im Auge
- Schädigungen durch optische
- Einflüsse, grelles Licht
- Verätzungen
- Verletzungen durch Schläge, Stösse

Erste-Hilfe-Maßnahmen (je nach Ursache)

Fremdkörper im Auge
- Beide Augen steril abdecken
- Nicht selbst entfernen

Schädigungen durch optische Einflüsse
- Beide Augen geschlossen halten, ggf. beide Augen abdecken

Verletzungen durch Schläge, Stösse
- Beide Augen steril abdecken

Vorgehen bei Verätzungen

Anzeichen
Schmerzen, Sehstörungen, Tränenfluss gesteigert, Schwellungen am Auge, rote Augen, Öffnen der Augen nicht möglich

Eigenschutz beachten – Einmalhandschuhe anziehen

Notruf 🇩🇪 112 🇦🇹 144 🇨🇭 144

Betroffenen aufsetzen

Verätztes Auge mit Daumen und Zeigefinger offenhalten

Auge unter lauwarmen Wasser von innen nach außen spülen – gesundes Auge schützen!

↓

Beide Augen steril abdecken

WEITERE NOTFÄLLE VON A BIS Z

Allergie

Auslöser
- Insektengifte, Nahrungsmittel, Medikamente, Gräser, Blütenpollen,
- Hausstaub, Tierhaare

Anzeichen
- Hautausschlag, Schwellung
- Juckreiz
- Bauchschmerzen
- Harn-/Stuhlverlust
- Atemnot
- Bewusstseinsstörungen, Bewusstlosigkeit
- Anaphylaktischer Schock
- Asthma-Anfall – Erste-Hilfe-Maßnahmen S. 78

Betroffener ansprechbar, reagiert auf Reize

Eigenschutz beachten – Einmalhandschuhe anziehen

Betroffenen in Position belassen bzw. in Position bringen, die ihm angenehm ist

Brustschmerzen/Atemnot
→ erhöhter Oberkörper

Schock
→ flach auf den Rücken positionieren

Notruf 112 (DE) 144 (AT) 144 (CH)

Bewusstseinszustand und Atmung kontinuierlich überwachen

Beengende Kleidung öffnen – für Frischluftzufuhr sorgen – Auskühlen verhindern – Betroffenen beruhigen

Wichtig
Wenn vorhanden, dann unterstützen Sie den Betroffenen bei der Anwendung eines Autoinjektors (EpiPen).

Betroffener nicht ansprechbar, reagiert nicht auf Reize

Eigenschutz beachten – Einmalhandschuhe anziehen

Notruf 112 144 144

Atmung normal?

Atmung normal

Stabile Seitenlage S. 45

Kontinuierlich Atmung prüfen

Atmung nicht normal

Herz-Lungen-Wiederbelebung, S. 50

Beengende Kleidung öffnen – für Frischluftzufuhr sorgen – Auskühlen verhindern – Betroffenen beruhigen

Stabile Seitenlage

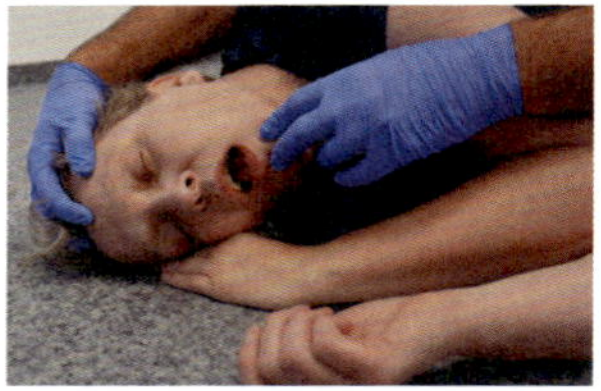

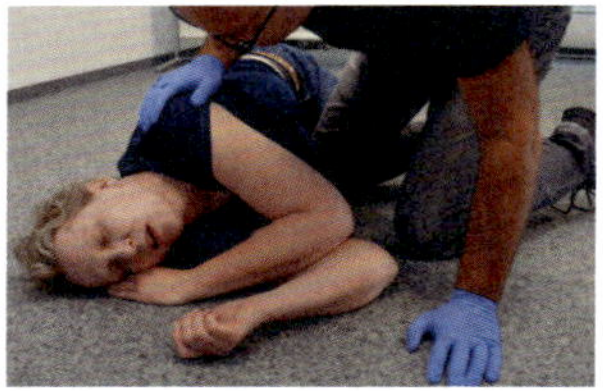

Wiederbelebung

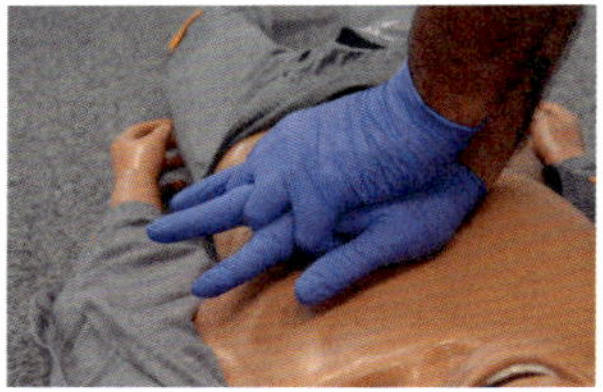

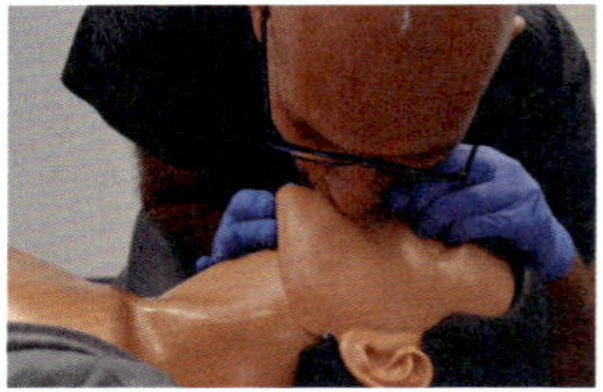

Ertrinken

Hilfe holen

Notruf 112 144 144

Rettungsring oder Schwimmhilfe verwenden

Kopf übers Wasser halten

Betroffener ist bewusstlos, atmet nicht normal
Bereits im Wasser 5 Beatmungen geben

Betroffenen so schnell wie möglich an Land oder in ein Rettungsboot bringen

Bewusstloser Betroffener mit Atemstillstand: außerhalb des Wassers sofort 5 Beatmungen

Herz-Lungen-Wiederbelebung starten

Achtung!
- Untrainierte Personen sollen nicht versuchen, Betroffene aus dem Wasser zu bergen
- Werfen Sie der Person dann eine Schwimmhilfe (einen Auftriebskörper verwenden) oder einen Rettungsring zu
- Beatmungen im Wasser nur geben, wenn gefahrlos möglich

AED-Einsatz
- Vor Einsatz eines AED unbedingt den Oberkörper des Betroffenen gut abtrocknen.
- Umfeld des Betroffenen trocken reiben.

Hitzschlag

Achtung!
Bei einem Hitzschlag überhitzt der Körper – es besteht Lebensgefahr!

Anzeichen

- rote bis graue Haut
- heiße, trockene Haut
- Benommenheit
- Verwirrtheit
- Schläfrigkeit
- Körpertemperatur > 40 °C

Eigenschutz beachten – Einmalhandschuhe anziehen

Betroffenen ansprechen, Reaktion auf Reize prüfen

Betroffener ansprechbar, reagiert auf Reize | **Betroffener nicht ansprechbar, keine Reaktion auf Reize**

Notruf 112 (D) 144 (A) 144 (CH)

Betroffener ansprechbar, reagiert auf Reize:

Betroffenen in den Schatten bringen

Kühle (nicht kalte) Tücher auf die Stirn legen Körpertemperatur > 40 °C → sofort aggressive Kühlung vorzugsweise durch Eintauchen in kaltes Wasser

Oberkörper hoch positionieren S. 46

Betroffener nicht ansprechbar, keine Reaktion auf Reize:

Atmung normal?

- **Normal Ja** → **Stabile Seitenlage**
- **Nicht normal** → **Herz-Lungen-Wiederbelebung**

Kontinuierlich Bewusstsein und Atmung kontrollieren

Sonnenstich

Ursache
- punktuelle, stundenlange Sonneneinstrahlung auf den Kopf/Nacken

Anzeichen
- Kopfschmerzen
- Übelkeit
- Erbrechen
- Schwindel
- Nackensteifigkeit
- Beeinträchtigung des Bewusstseins

Betroffenen ansprechen, Reaktion auf Reize prüfen

Oberkörper hoch positionieren

Notruf 🇩🇪 112 🇦🇹 144 🇨🇭 144

Kühle Getränke zu Trinken geben (nicht eiskalt!)

Kleidung öffnen

Kühle Tücher auf Stirn, Achseln, Leisten legen (Achtung: nicht kalt)

↓

Bewusstsein und Atmung kontinuierlich überwachen

Achtung!
Es kann zu einer Bewusstlosigkeit kommen → Erste-Hilfe-Maßnahmen S. 59

Unfälle durch Blitzschlag/Strom

Hochspannung: Blitzschlag, Fahrleitungsdrähte von Straßen- oder Eisenbahnen Achtung bei geringem Abstand Überspringen des Stroms möglich (ohne Berührung)

Niedrigspannung: Haushalts- und Starkstrom (z. B. Küchengeräte, Steckdosen, Strom auf Baustellen)

Anzeichen eines Blitzschlag: Bewusstlosigkeit, punktförmige oder lineare Verbrennung ohne sichtbare Verbrennungsursache

Achtung!
- Bei Stromunfällen besteht Lebensgefahr
- Unbedingt auf Eigenschutz achten
- Betroffenen nicht berühren, solange er im Stromkreis ist. Stromquelle erst ausschalten
- Bei geringem Abstand kann der Strom ohne Berührung überspringen

Maßnahmen bei Niedrigspannung

- **Eigenschutz beachten**
- **Stromquelle ausschalten/Stromkreis unterbrechen – gegen Wiederanschalten sichern**
- **Betroffenen erst berühren, wenn Betroffener nicht mehr im Stromkreis ist**
- **Bewusstseinszustand prüfen**
- **Notruf** 112 144 144
- **Weiteres Vorgehen je nach Bewusstsein, Atmung, Kreislauf**
- **Wunden/Verbrennungen versorgen**

Maßnahmen bei Hochspannung

- **Eigenschutz beachten**
- **Notruf** 112 144 144
- **Hinweis auf Hochspannungsunfall**
- **Keine Annäherung an die Unglücksstelle**
- **Gefahrenbereich weiträumig absichern Abstand mindestens 50 bis 100 m**
- **Auf Feuerwehr und Rettungsdienst warten**

Vergiftungen mit Haushaltsmitteln, Drogen, Medikamenten, Pflanzen

Anzeichen

- Übelkeit
- Erbrechen
- Bauchschmerzen
- Schwindel
- Haut blass, kaltschweissig
- Bewusstseinseintrübung bis Bewusstlosigkeit
- Atemfrequenz verändert – je nach Substanz und Zustand des Betroffenen (schnelle Frequenz bzw. Verlangsamung der Atemfrequenz bis zu Atemstillstand)

Betroffener ansprechbar, reagiert auf Reize

Eigenschutz beachten – Einmalhandschuhe anziehen

Fremdschutz: keine Gefährdung für den Betroffenen oder andere Personen

Bewusstsein prüfen

Notruf 112 144 144

Kontinuierlich Bewusstsein und Atmung prüfen

Auskühlen vermeiden (Betroffenen zudecken)

Beengende Kleidung öffnen

Kein Erbrechen auslösen!

Restliche Giftmengen, leere Behälter, Erbrochenes an Rettungsdienstmitarbeiter übergeben

Eigenschutz beachten!

- Unbedingt Handschuhe benutzen
- Bei Beatmung unbedingt Beatmungsmaske oder Beatmungstuch verwenden

Wichtig

Stellen Sie Folgendes für den Rettungsdienst sicher:

- Medikamentenschachteln
- Erbrochenes
- Leere Behältnisse
- Pflanzenreste
- Reste der auslösenden Substanz

Betroffener nicht ansprechbar, keine Reaktion auf Reize

Eigenschutz beachten

Sicherstellen, dass keine Gefährdung für den Betroffenen oder andere bestehen

Bewusstsein prüfen

Notruf 112 (Deutschland) 144 (Österreich) 144 (Schweiz)

Atmung normal?

Atmung normal

Stabile Seitenlage, S. 45

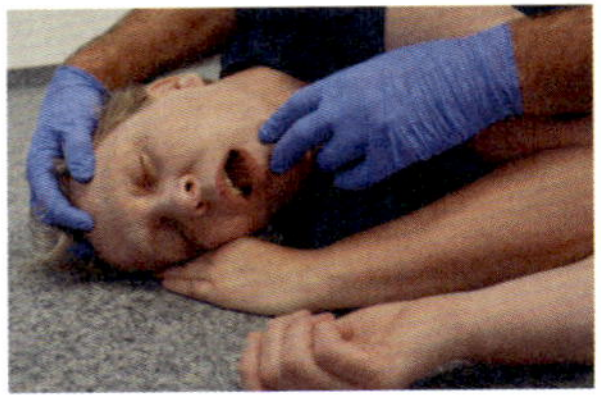

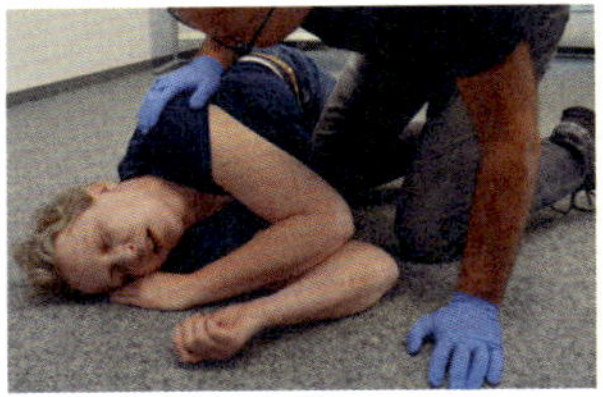

Bewusstsein und Atmung kontinuierlich prüfen

Atmung nicht normal

Herz-Lungen-Wiederbelebung S. 50

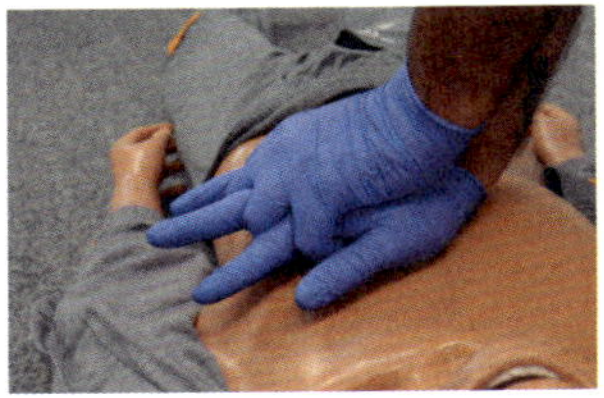

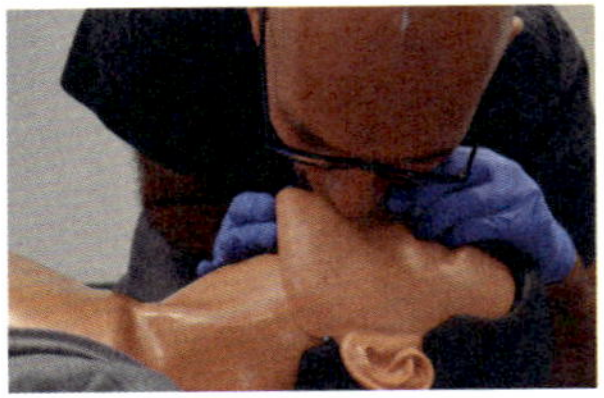

Eigenschutz beachten!

- Benutzen Sie unbedingt Einmalhandschuhe!
- Verwenden Sie unbedingt eine Beatmungsmaske oder ein Beatmungstuch!

Wichtig

Stellen Sie restliche Giftmengen, leere Behälter und Erbrochenes sicher und übergeben Sie diese an die Rettungsdienstmitarbeiter.

⚠ **Beengende Kleidung öffnen – für Frischluftzufuhr sorgen – Auskühlen verhindern – Betroffenen beruhigen**

Vergiftungen mit Gas/Rauchgas

Anzeichen
- Übelkeit
- Erbrechen
- Kopfschmerzen
- Schwindel
- Bewusstseinseintrübung bis Bewusstlosigkeit
- keine Zyanose (bläuliche Verfärbung des Gesichts)
- Veränderte Atemfrequenz – je nach Substanz und Zustand des Betroffenen (schnelle Frequenz bzw. Verlangsamung der Atemfrequenz bis zu Atemstillstand)

Betroffener ansprechbar, reagiert auf Reize

Eigenschutz beachten

Sicherstellen, dass keine Gefährdung für den Betroffenen oder andere bestehen (Explosionsgefahr), Raum nur betreten, wenn gefahrlos möglich

Bewusstsein prüfen

Notruf 🇩🇪 112 🇦🇹 144 🇨🇭 144

Raum lüften

Betroffenen an die frische Luft bringen

Kontinuierlich Bewusstsein und Atmung prüfen

Auskühlen vermeiden, Betroffenen zudecken

↓

Beengende Kleidung öffnen

Eigenschutz beachten!
- Es besteht Explosionsgefahr durch Gase
- Vorsicht bei Rauch- oder Gasgeruch
- Betreten Sie den Raum nur, wenn dies gefahrlos möglich ist

Zu beachten bei Kohlenstoffdioxid!

Vorkommen
- Silos
- Gärkeller
- Schächte

Eigenschaften
- geruchlos
- unsichtbar
- schwerer als Luft → sinkt ab

Zu beachten bei Kohlenstoffmonoxid!

Vorkommen
- bei Verbrennung
- Holzöfen
- Kamin- oder Kachelöfen
- nicht oder schlecht gewartete Thermen

Eigenschaften
- geruchlos
- unsichtbar
- vermischt sich mit der Umgebungsluft

Betroffener nicht ansprechbar, keine Reaktion auf Reize

Eigenschutz beachten

Sicherstellen, dass keine Gefährdung für den Betroffenen oder andere bestehen (Explosionsgefahr), Raum nur betreten, wenn gefahrlos möglich

Bewusstsein prüfen

Notruf 112 144 144

Atmung normal?

Atmung normal

Stabile Seitenlage, S. 45

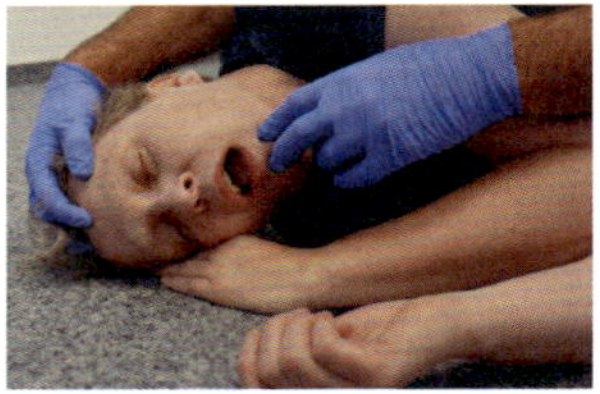

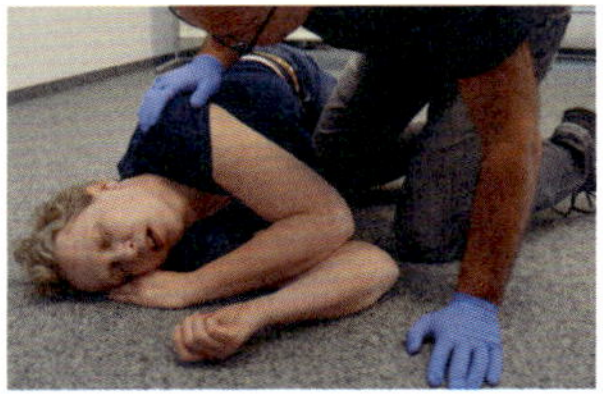

Bewusstsein und Atmung kontinuierlich prüfen

Atmung nicht normal

Herz-Lungen-Wiederbelebung S. 50

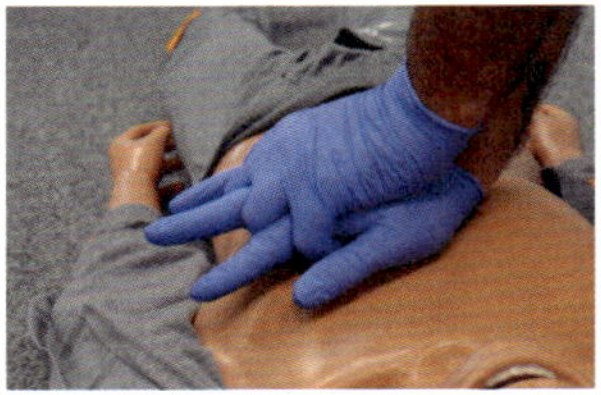

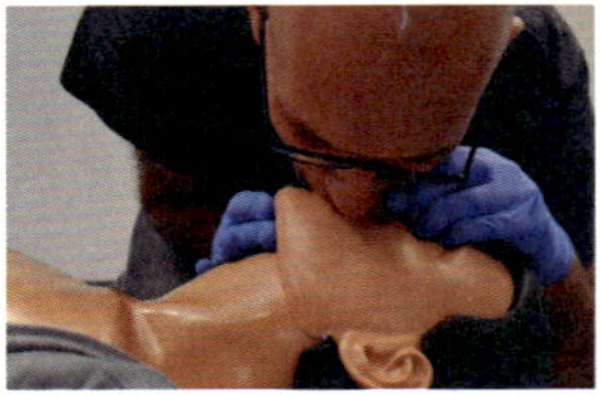

Beengende Kleidung öffnen – für Frischluftzufuhr sorgen – Auskühlen verhindern – Betroffenen beruhigen

Zeckenstich – Entfernung einer Zecke

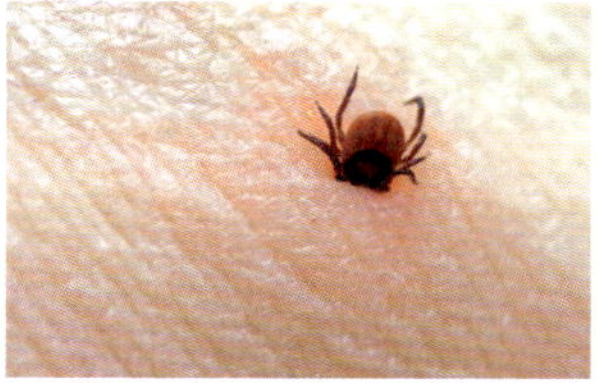

Zecken mit einer Zeckenkarte oder einer Pinzette herausziehen

Karte unter den Körper der Zecke schieben

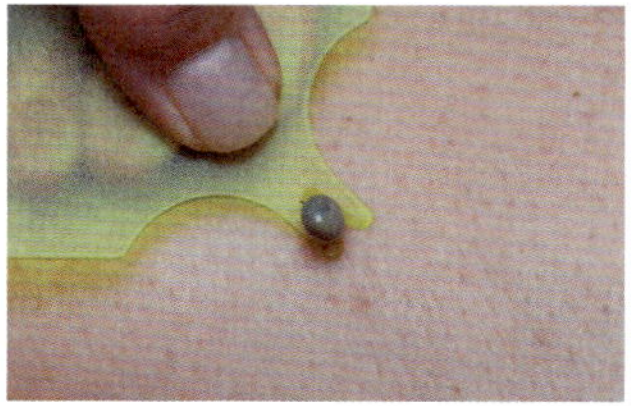

Karte leicht anheben und die Zecke damit herausziehen

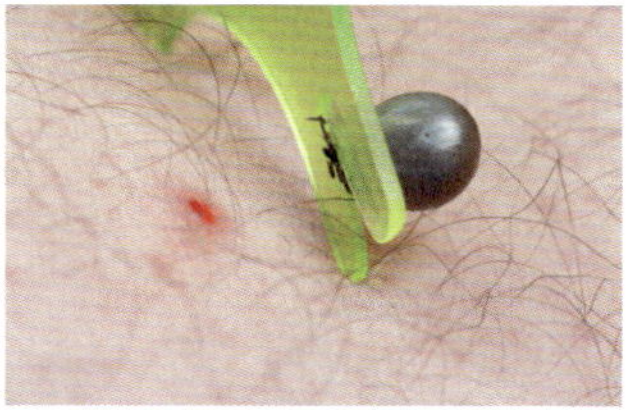

Zu beachten bei der Verwendung einer Pinzette

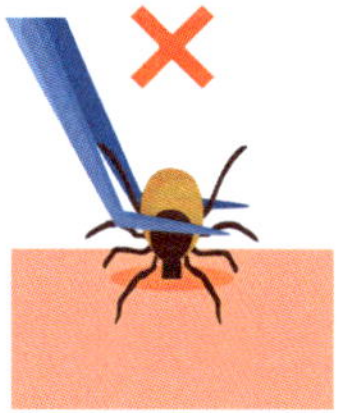

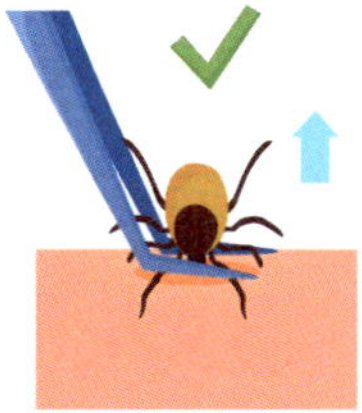

Zu beachten!

- Beträufeln Sie die Zecke nicht mit einer Lösung, einem Öl o. Ä.!
- Greifen Sie die Zecke nicht am Körper!
- Entfernen Sie Zecken möglichst zeitnah!
- Drehen Sie die Zecke nicht heraus, sondern ziehen Sie sie heraus!

NOTFÄLLE WÄHREND DER SCHWANGERSCHAFT

Besonderheiten bei der Positionierung

Ab der 20. Schwangerschaftswoche	auf der linken Seite
Vorgehen	Polster oder gefaltete Decke unter die rechte Seite unter Becken/ Gesäß unterstützt die Positionierung auf der linken Seite
Zeichen eines Schocks	abhängig von Schwangerschaftswoche Rückenlage flach
Schwangere bewusstlos, mit normaler Atmung	Stabile Seitenlage – dabei auf die linke Seite legen
Schwangere bewusstlos und keine Atmung	Herz-Lungen-Wiederbelebung durchführen
	Bei zwei Helfern: während der Herzdruckmassage den Unterkörper nach links positionieren – dazu Polster/gefaltete Decke von rechts bis zur Häflte unter Becken/Gesäß schieben

Blutungen während der Schwangerschaft

Ursachen

- Vorzeitige Ablösung der Plazenta
- Kontaktblutung
- Fehlgeburt
- Fehllage der Plazenta
- Gebärmutterzerreißung
- Blutung durch Muttermundöffnung (mit Wehen)
- Tumor
- Verletzung

Achtung!
Bei einer Blutung nach der 13. Schwangerschaftswoche handelt es sich um einen zeitkritischen Notfall!

Anzeichen

- Abgang von Blut, Fruchtwasser, Gewebeteilen
- Wehentätigkeit
- Blutungen aus der Scheide
- Unruhe, Angst
- Schmerzen
- Brettharter Bauch
- Blässe, kalter Schweiß
- Atemfrequenz erhöht
- Puls schnell, kaum tastbar
- Bewusstseinsveränderung bis Bewusstlosigkeit

Betroffene ansprechbar, reagiert auf Reize

Schwangere in angenehme Position bringen

ab der 20. Schwangerschaftswoche ggf. auf die linke Seite
Polster oder gefaltete Decke unter die rechte Seite unter Becken/Gesäß unterstützt die Positionierung auf der linken Seite

Zeichen eines Schocks

abhängig von Schwangerschaftswoche Rückenlage flach

Blutung aus der Scheide

Genitalbereich mit steriler Vorlage/Kompresse/Wundauflage abdecken

Betroffene beruhigen

Hilfe holen/Notruf

Kontinuierlich Bewusstsein und Atmung prüfen

Beengende Kleidung öffnen

Auskühlen verhindern

Frischluftzufuhr

Betroffene nicht ansprechbar, reagiert nicht auf Reize

Hilfe rufen/Notruf 112 144 144

Atmung prüfen

Atmung normal → Stabile Seitenlage

keine Atmung → Herz-Lungen-Wiederbelebung

Vorzeitige Wehen

Wehen vor der Geburt können harmlose Senkwehen oder Übungswehen sein. Aber wenn vorzeitige Wehen als Vorzeichen einer Frühgeburt möglich sind, dann muss die Schwangere zügig in ein Krankenhaus!

Anzeichen

- Schmerzhafte Wehen
- 3-4x innerhalb von 20-30 Minuten
- länger als 30 Sekunden andauernd

- Vor der 37. Schwangerschaftswoche

Vorgehen

Beruhigen Sie die werdende Mutter

Schwangere in angenehme Position bringen

Notruf 🇩🇪 112 🇦🇹 144 🇨🇭 144

Befolgen der Anweisungen des Mitarbeiters der Rettungsleitstelle

Vorzeitiger Blasensprung

Was ist das?
- Austritt von Fruchtwasser durch das Reißen der Fruchtblase

Anzeichen
- Abgang von Blut, Schleim und Fruchtwasser
- Ggf. hängt die Nabelschnur teilweise aus dem Muttermund → Notfall

Vorgehen

Schwangere in angenehme Position bringen

ab der 20. Schwangerschaftswoche auf die linke Seite

Polster oder gefaltete Decke unter die rechte Seite unter Becken/Gesäß unterstützt die Positionierung auf der linken Seite

Betroffene beruhigen

Hilfe rufen/Notruf 112 144 144

Kontinuierlich Bewusstsein und Atmung prüfen

Beengende Kleidung öffnen

Auskühlen verhindern

Frischluftzufuhr

↓

Achtung: Nicht herumgehen lassen!

Präeklampsie/Eklampsie

Auftreten Letztes Drittel der Schwangerschaft

Anzeichen
- Unruhe
- Kopfschmerzen, Ohrensausen
- Übelkeit, Erbrechen
- Augenflimmern
- Bauchschmerzen
- Geschwollene Beine
- Bewusstseinsveränderung bis zur Bewusstlosigkeit
- Atemstörungen bis zum Atemstillstand
- Krampfanfall
- hoher Blutdruck

Betroffene ansprechbar, reagiert auf Reize

Schwangere in angenehme Position bringen – ab der 20. Schwangerschaftswoche auf die linke Seite
Polster oder gefaltete Decke unter die rechte Seite unter Becken/Gesäß unterstützt die Positionierung auf der linken Seite

Zeichen eines Schocks – abhängig von Schwangerschaftswoche Rückenlage flach

Blutung aus der Scheide – Genitalbereich mit steriler Vorlage/Kompresse/Wundauflage abdecken

Betroffene beruhigen

Hilfe rufen/Notruf 🇩🇪 112 🇦🇹 144 🇨🇭 144

Kontinuierlich Bewusstsein und Atmung prüfen

Beengende Kleidung öffnen/Auskühlen verhindern

Frischluftzufuhr

Maßnahmen – bei einem Krampfanfall

- Eigenschutz wahren
- Um Hilfe rufen
- Betroffene beim Sturz abfangen (wenn möglich)
- Notruf 🇩🇪 112 🇦🇹 144 🇨🇭 144
- Betroffene nicht festhalten
- Nichts in den Mund stecken
- Betroffene vor umliegenden Gegenständen schützen
- Kopf unterpolstern

Maßnahmen nach dem Ende des Krampfanfalls

- Stabile Seitenlage → S. 45, 113

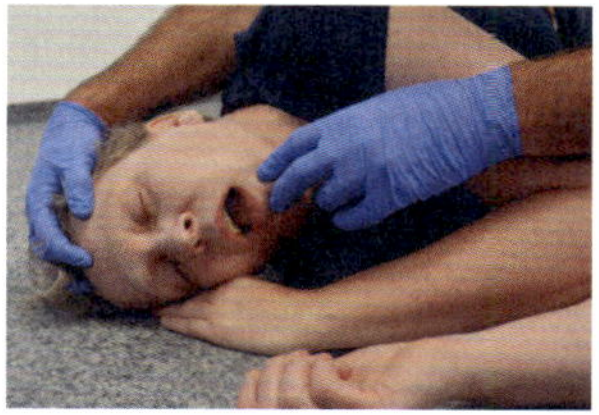

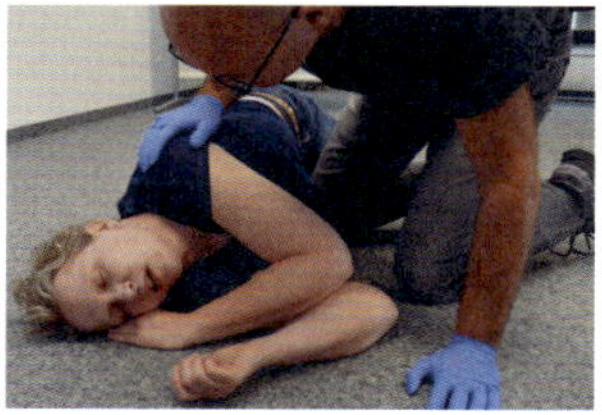

- Bewusstsein und Atmung kontinuierlich prüfen
- Beengende Kleidung öffnen/Auskühlen verhindern
- Frischluftzufuhr

PSYCHISCHE NOTFÄLLE
UND ERSTE-HILFE-MAßNAHMEN

Grundlagen

Reaktionen der Betroffenen

Reaktionen von Betroffenen auf Unfälle, Notfälle, akute Krankheitsanzeichen/-verschlechterungen fallen unterschiedlich aus.

Verstärkende Faktoren

- Schmerzen
- Atemnot
- Bewusstseinstrübung
- Taubheitsgefühle
- Hitze
- Kälte
- Nässe
- Lärm
- Zwangslagen (Bewegungseinschränkung, Einklemmung)
- Schaulustige oder andere Verletzte
- Kontrollverlust über den eigenen Körper
- Dunkelheit

Beobachtbares Verhalten

- Schreien
- Weinen
- Unruhe
- Apathie
- Unkontrolliertes Lachen
- Aggression gegen sich selbst oder auch andere Personen
- Gelegentlich Ruhe und Gelassenheit
- Schockstarre

Allgemeine Regeln zur psychischen Ersten Hilfe

Auf Augenhöhe des Betroffenen begeben

- Hinknien oder Herunterbeugen

Sprechen Sie den Betroffenen an

- Ich bin für Sie da …, Ich kümmere mich um Sie …
- Ich werde … tun …
- Ich helfe Ihnen und mache jetzt …
- Ich hole Hilfe …
- Ich habe den Rettungsdienst verständigt …
- Hilfe ist unterwegs und ich bleibe bei Ihnen …
- Ich bleibe bei Ihnen, bis der Rettungsdienst kommt …

Sprechen Sie weiterhin mit dem Betroffenen

- Achten Sie auf einen ruhigen Tonfall
- Achten Sie auf einfache, kurze Sätze

Hören Sie dem Betroffenen zu, wenn er redet

Erklären Sie, was Sie tun/Erklären Sie, was andere tun

So antworten Sie auf Fragen zum Zustand

- keine Übertreibungen, Phrasen oder negativen Aussagen
- Belügen Sie den Betroffenen nicht

Suchen Sie Körperkontakt

- Suchen Sie, wenn von dem Betroffenen erwünscht, vorsichtig Körperkontakt
- Halten Sie die Hand des Betroffenen oder legen Sie Ihre Hand leicht auf die Schulter des Betroffenen
- Berühren Sie bei Fremden nicht den Kopf oder andere Körperteile
- Bei Abwehrreaktionen Körperkontakt vermeiden oder sofort beenden

Sorgen Sie für Ruhe (störungsfreie Umgebung)

- Entfernen Sie Schaulustige oder geben Sie ihnen eine Aufgabe
- Schirmen Sie den Betroffenen von Zuschauern ab

Panikattacke

Anzeichen

- Herzrasen, Herzklopfen
- Rasche Atmung, bis Hyperventilation
- Atemnot, Gefühl des Erstickens
- Brustschmerzen, Engegefühl in der Brust
- Hitzewallungen, Schweißausbrüche
- Zittern
- Schwindelgefühle
- Übelkeit, evt. Erbrechen
- Plötzlich auftretende, starke sich schnell steigernde Angstgefühle
- Angst vor Kontrollverlust
- Todesangst
- Gestörte Selbstwahrnehmung – man ist sich fremd
- Gestörte Wahrnehmung der Umgebung – bekannte Umgebung ist dem Betroffenen fremd

Kennzeichen Plötzliches Auftreten, Dauer ca. 10 bis 30 Minuten

Maßnahmen

Keine weitere Eskalation der Stresssituation/Auslöser – wenn möglich – abschalten, entfernen

Betroffenen dazu auffordern, ruhig und kontrolliert zu atmen – ggf. gemeinsam mit dem Betroffenen atmen

Entspannungstechniken anwenden – z. B. Progressive Muskelentspannung

Hyperventilation

Beruhigen, Stresssituation deeskalieren

↓

Atmung weiterhin zu schnell und zunehmende Panik

- **Normalisierung der Atmung** → **Weiter für Ruhe sorgen**
- **keine Normalisierung** → **Notruf** 112 (DE) 144 (AT) 144 (CH)

Halluzinationen

Arten	**Beschreibung**
Auditiv	Hören von nicht vorhandenen Geräuschen wie Klingeln, Glockenläuten, Stimmen oder Gesprächen (wirken bedrohlich, befehlend oder beschimpfend)
Visuell	Sehen von Bildern, Insekten, Feuer, Katastrophen wirken meist erschreckend, angstauslösend, unangenehm
Geschmack/Geruch	Geruch von Kot, Eiter, Fäulnis Geschmack ekelhaft Halluzinationen auch bei zugehaltener Nase
Gefühl	Körperlich unangenehme Empfindungen, z. B. Stich, Brennen der Haut, Gefühl eines Stromschlags

Maßnahmen

Nicht mit dem Betroffenen diskutieren, Argumente bleiben wirkungslos!

Keine Belehrung des Betroffenen

Sorgen Sie für die Sicherheit des Betroffenen und der Umgebung

Verhindern Sie gefährliches Handeln

Notruf 112 (Deutschland) 144 (Österreich) 144 (Schweiz)

Betroffenen beruhigen und überwachen, bis der Rettungsdienst eintrifft

Belastungsstörungen verhindern – Hilfe für die Helfer

Beeinträchtigung der eigenen Psyche durch traumatische Ereignisse, das sind z. B.

- Plötzlicher Tod
- Misshandeltes, schwer verletztes, sterbendes Kind
- Suizid/-versuch eines Bekannten, Freundes, Angehörigen
- Persönliche Bekanntschaft mit Schwerverletzten oder sterbenden Personen
- Gravierende Verletzung oder Tod eines Kollegen, Freundes oder eines Schutzbefohlenen bzw. Schülers
- Gefährliche Bedrohung, Aufenthalt in lebensgefährlichem Bereich mit realistischer, physischer Gefahr
- Angriff oder Attacke durch betroffene oder fremde Personen

Akute Reaktionen (unmittelbar nach dem Ereignis bis maximal 36 Stunden danach)

- Überdurchschnittliche Müdigkeit
- Erschöpfung
- Gereiztheit
- Kopfschmerzen
- Konzentrationsprobleme
- Angst/Unsicherheit
- Traurigkeit
- Schlafstörungen
- Schuldgefühle

Empfehlung für Helfer nach traumatischen Ereignissen

- Verbringen Sie Zeit mit Familie und Freunden.
- Sprechen Sie mit Vertrauenspersonen über das Erlebte und darüber, wie es Ihnen damit geht.
- Nehmen Sie Ihren normalen Tagesablauf und Wochenrhythmus wieder auf.
- Achten Sie darauf, ausreichend zu essen, trinken und zu schlafen.
- Halten Sie sich körperlich fit und bleiben Sie in Bewegung.
- Machen Sie Dinge, die Ihnen guttun.
- Trinken Sie nicht mehr Alkohol und rauchen Sie nicht mehr als gewöhnlich.
- Nehmen Sie sich Zeit für sich.
- Drücken Sie Ihre Gefühle (z. B. Traurigkeit) an einem passenden Ort aus.
- Setzen Sie sich kleine Ziele.
- Erledigen Sie in der ersten Zeit überwiegend Routinearbeiten.
- Schalten Sie immer wieder Fernseher, Computer und Mobiltelefon aus.
- Holen Sie sich Hilfe, wenn sich die Belastungszeichen nach mehreren Tagen nicht mildern.

REANIMATION
FÜR MEDIZINISCHES FACHPERSONAL

Die Überlebenskette

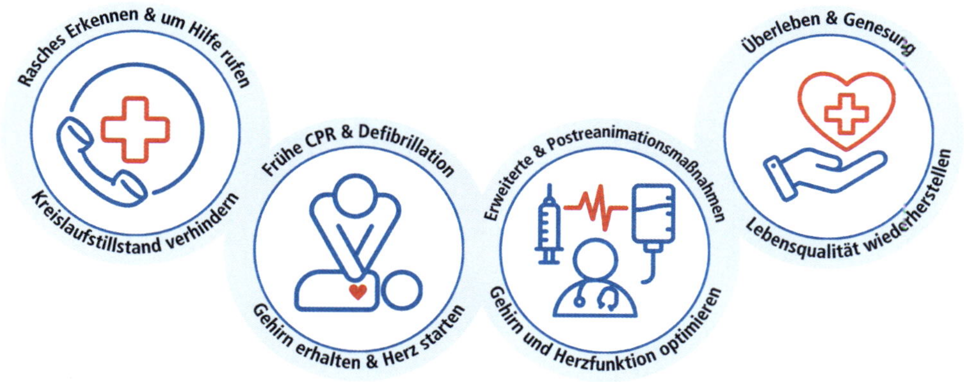

Notfallanamnese nach dem ABCDE-Schema

Kritisch kranke oder verletzte Patienten nach einer Prioritätenliste untersuchen!
Vorab: Bewusstsein prüfen, auf kritische Blutung prüfen

A	Atemweg (Airway)	• Atemwege frei? Risiko einer Atemwegsverlegung vorhanden? • Sturz aus großer Höhe oder schweres Trauma? • Gefahr einer Halswirbelsäulenverletzung?
B	Beatmung (Breathing)	• Atmung vorhanden? Sehen, hören, fühlen für 10 Sekunden, Stridor oder Giemen beachten! • Schwellungen im Mund-Rachen-Raum? • Probleme beim Abhusten oder Schlucken? • Gibt es Anzeichen für Sauerstoffmangel (Zyanose)?
C	Kreislauf (Circulation)	• Brustschmerzen? Druck auf dem Brustkorb? • Schmerzen in Hals, Brust, Arm? • Puls tastbar? Pulsqualität/Frequenz? • Anzeichen für einen Schock? • Blasse, kühle oder feuchte Haut? • Schwindel oder Verwirrung?
D	Behinderung (Disability)	• Reaktionsniveau beurteilen – Schema ACVPU **A**-Alert (wach), **C**-Confusion (neu aufgetreten oder Verschlechterung?), **V**-Verbal (reagiert auf Stimme), **P**-Pain (reagiert auf Schmerzreiz, z. B. Schulter drücken), U-Unresponsive (keine Reaktion) • Reaktionsniveau beurteilen – Schema WASB **W**-wach, **A**-ansprechbar, **S**-somnolent, **B**-bewusstlos
E	Untersuchung (Exposure)	• Ergebnis des Body-Check (der Ganzkörperuntersuchung) • Körperkerntemperatur?

Sobald ein lebensbedrohlicher Zustand erkannt wird, die entsprechenden Erste-Hilfe-Maßnahmen einleiten.

Sample(r)-Schema zur ausführlichen Anamnese

Das Sample-Schema ist ein Schema, das die Notfallanamnese stark erweitert und gerade auch für notfallmäßige Narkoseeinleitungen angewandt wird. Ist eine Selbstauskunft durch den Patienten nicht möglich, dann ist auch eine Fremdanamnese möglich. Anpassung je nach Notfall: internistischer Notfall: **SAMPLER**, bei einem Trauma: **AMPLE**.

Zur Erhebung gehören:

S	Symptome (symptoms)
A	Allergien (allergies)
M	Medikation (medication)
P	Medizinische Vorgeschichte (past medical history)
L	Letzte Nahrungsaufnahme (last oral intake)
E	Ereignisse, die dem Vorfall vorausgegangen sind (Events prior to incident)
R	Risikofaktoren (risk factors)

Fragen zur genaueren Erfassung:

- Beginn der Beschwerden?
- Akuter oder langsamer Beginn der Beschwerden?
- Tätigkeiten des Patienten bei Einsatz der Symptome?
- Verstärken oder Lindern der Beschwerden möglich?
- Lageabhängige Beschwerden?
- Schmerzqualität?
- Schmerzlokalisation?
- Schmerz ausstrahlend?
- Stärke der Schmerzen?
- Änderung der Beschwerden im Zeitverlauf?

Reversible Ursachen – die 4 Hs

Hypoxie

Erkennen	Maßnahmen
• Anamnese • Untersuchung • SpO2 bzw. PaO2	• Beatmung mit 100 % O2 • Endotrachealtubus/SGA • Ausreichende Brustkorbbewegungen

Hypovolämie

Erkennen	Maßnahmen
• Anamnese • Sepsis, Blutung, Durchfall, Anaphylaxie • POCU	• Flüssigkeitsbolus 10 ml/kg isotone Kristalloide oder Blutprodukte bei starken Blutungen

Hyper-/Hypokaliämie oder Hypoglykömie

Erkennen	Maßnahmen
Hyperkaliämie	
• Anamnese (massive Hämolyse, Tumorlysesyndrom, Crush-Syndrom, akutes oder chronisches Nierenversagen, maligne Hyperthermie, spezifische Intoxikationen) • Blutgasanalyse mit Elektrolyten	• Bei Kreislaufstillstand mit schwerer Hyperkaliämie > 6,5–7 mmol/l) 0,1 Einheiten/kg kurz wirksames Insulin (max. 10 Einheiten) mit 5 ml/kg 10 % Glukose (max. 250 ml) als i.v.-Bolus und i.v./i.o.-Infusion eines kurz wirksamen Beta2-adrenergen Agonisten (z. B. Salbutamol 5 µg/kg). • Extrakorporale Kaliumentfernung?

Hypokaliämie	
• Anamnese (Durchfall, Erbrechen, Diabetes insipidus, bestimmte Medikamente, Hyperaldosteronismus) • Blutgasanalyse mit Elektrolyten	• Bei Kreislaufstillstand in Verbindung mit schwerer Hypokaliämie (< 2,5 mmol/l) 1 mmol/kg (max. 30 mmol) Kalium mit 2 mmol/min über 10 min verabreichen • gefolgt von einer intravenösen Gabe der restlichen Dosis (falls erforderlich) über 5–10 min • Falls erforderlich wiederholen, bis der Serumkaliumspiegel > 2,5 mmol/l ist. Bei begleitender Hypomagnesiämie ist die Gabe von Magnesium in Betracht zu ziehen
Hypoglykämie	
• Anamnese • Blutuntersuchung	• Geben Sie einen intravenösen Bolus von 0,2 g/kg Glukose (z. B. 2 ml/kg 10 % Glukose) • Blutzuckerspiegel überprüfen • nach 5–10 Minuten BZ-Spiegel erneut prüfen • Wiederholen der Bolusgabe gegebenenfalls
Andere Stoffwechselstörungen	
• Anamnese • Blutuntersuchung	• Kalzium, Magnesium oder andere Stoffwechselstörungen behandeln

Hypo-/Hyperthermie

Erkennen	Maßnahmen
Hypothermie	
• Anamnese • Situation • Körperkerntemperatur	ALS-Algorithmus anpassen: • < 30 °C: eine Einzeldosis Adrenalin • bei defibrillierbarem Rhythmus maximal 3 Schocks • unwirksam → warten bis zum Erreichen einer Kerntemperatur von > 30 °C • 30–35 °C: Adrenalin i.v./i.o. alle 8 Minuten • (6–10 Minuten) • zweite Dosis Amiodaron i.v./i.o. nach 8 Minuten, normales Defibrillationsintervall (alle 2 Minuten) • > 35 °C: Standard Algorithmus, ggf. Transport in ein ECMO • > 32 °C: Erwärmung mit externen Wiedererwärmungsmethoden (Hypothermie wahrscheinlich nicht primäre Ursache des Kreislaufstillstands • < 32 °C: Aktive externe und interne Wiedererwärmungsmethoden einschließlich extrakorporaler Techniken anwenden
Hyperthermie	
• Anamnese • Körperkerntemperatur	• Externe Kühlung • Medikationsbedingt? Ggf. Antidote oder andere Behandlungen

Reversible Ursachen – die 4 HITS

Herzbeuteltamponade Erkennen	• Anamanese • POCUS	Thromboembolie Erkennen	• Anamnese • POCUS
Intoxikation Erkennen	• Anamnese • EKG (vor Kreislaufstillstand) • Blutgasanalyse • Elektrolyte	Spannungspneumothorax Erkennen	• Anamnese • POCUS

Reanimation im klinischen Umfeld – ein Überblick

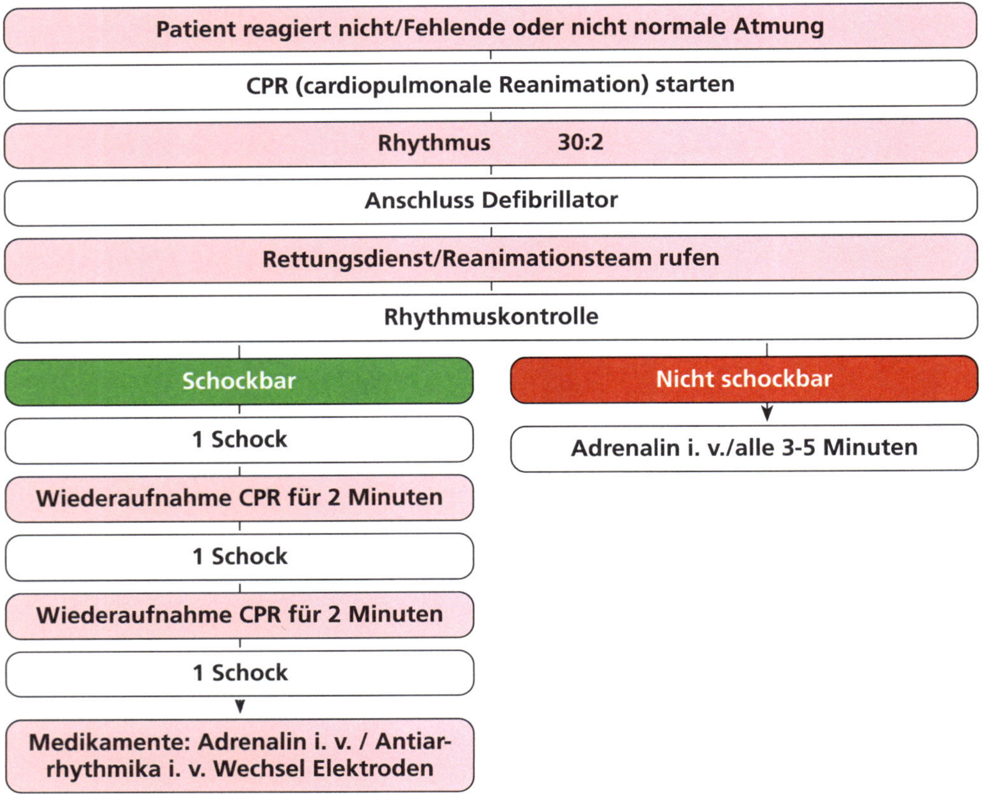

Grundsätzlich

- Elektroden optimal platzieren
- Sauerstoffgabe
- Endotracheale Intubation oder supraglottischer Atemwegssicherung – Fortführen der Herzdruckmassage
- Kapnografie nutzen
- Kompressionen so kurz wie möglich unterbrechten
- v.-Zugang so früh wie möglich (alternativ i. o.)

Möglich

- Elektrodenwechsel nach 3 Schocks
- Mechanische Thoraxkompressionen, um den Betroffenen zu transportieren
- Einsatz von Ultraschall (Ursachen identifizieren)
- Koronarangio/perkutane Koronarintervention

ROSC – weiteres Vorgehen

- ABCDE fortführen
- O2 Sättigung – Zielwert: 94-98%, normaler PaCO2
- RR systolisch . Zielwert > 100 mmHg
- EKG ableiten (12-Kanal!)
- Ursache ermitteln und behandeln

Mögliche reversible Ursachen

- Hypoxie
- Hypovolämie
- Hyper-/Hypokaliämie
- Hypo-/Hyperthermie
- Herzbeuteltamponade
- Intoxikation
- Thrombose (kardial/pulmonal)
- Spannungs-Pneumothorax

Defibrillation – wichtige Grundlagen

Manuelle Defibrillation

- Nur wenn Kreislaufstillstand schnell und sicher erkannt wird (innerhalb von 5 Sekunden)
- Sicherer Schock mit minimaler Unterbrechung der Thoraxkompression sichergestellt ist (weniger als 5 Sekunden)

Strategie

Keine Unterbrechung der CPR während

- des Holens eines AED
- des Anlegens der Elektroden

Unterbrechungszeiten der CPR minimieren

- Fortsetzung der CPR während des Ladens des Defibrillators
- Defibrillieren unter 5 Sekunden
- Nach Schock sofort wieder CPR starten

Unterbrechung der CPR	
bei Anzeichen der Rückkehr des Spontankreislaufs	Puls tasten Rhythmus analysieren

Sicherheit bei der Defibrillation

Brandgefahr durch Sauerstoff

- Sauerstoffmasken, O2-Kanülen, O2-Maske/-Beutel abnehmen
- Mind. 1 m weg vom Brustkorb des Patienten
- Beatmungsgerät: Ausatemluft vom Patienten wegleiten
- Selbstfüllender Beutel/beatmungsschläuche an Tuben angeschlossen lassen

Wirksamkeit sicherstellen

- Aufladen des Defibrillators vor der Rhythmuskontrolle → in der Zeit Weiterführen der CPR möglich
- Bei mechanischer Thoraxkompression keine Unterbrechung während der Schockabgabe notwendig
- Bei manueller Druckmassage keine Defibrillation durchführen – lebensgefährlich für die Helfer

Anzeichen für die Rückkehr des Spontankreislaufs (ROSC)

- Rückkehr Bewusstsein
- Willkürliche Bewegungen
- Arterieller Puls
- Steiler Anstieg des endtidalen Kohlendioxids

Atemkontrolle/Beatmung – wichtige Grundlagen

Freimachen der Atemwege

Maßnahmen intensivieren bis effektive Beatmung erreicht ist

Höchstmögliche Sauerstoffkonzentration verabreichen

Bei der Beatmung auf Frequenz und Tidalvolumen achten (angemessen?)

Keine Hypo- oder Hyperventilation

Bei Beutel-Masken-Beatmung auf dichten Abschluss der Maske und freie Atemwege achten

Anzeichen für effektive Beatmung: Anheben des Brustkorbs für 1 Sekunde bei jeder Beatmung

Unterbrechung der Herzdruckmassage maximal für 5 Sekunden bei Intubation

Bei Verwendung eines Tubus Thoraxkompressionen unterbrechungsfrei durchführen – Frequenz: 10/Minute

Bei unzureichender Beatmung über den Tubus und Austreten von Luft – Kompressionen bei der Beatmung unterbrechen und auf den Rhythmus 30:2 wechseln

Medikamentengabe während der Reanimation

Gefäßzugang

- i. v.-Zugang (maximal zwei Punktionsversuche)
- i. o.-Zugang als Alternative zum i. v.-Zugang

Vasopressoren

- Kreislaufstillstand nicht defibrillierbar → schnellstmöglich 1 mg Adrenalin
- Kreislaufstillstand defibrillierbar → nach dem 3. Schock 1 mg Adrenalin
- Fortsetzung der Gabe von 1 mg Adrenalin alle 3-5 Minuten während der Wiederbelebung

Antiarrhythmika

- 300 mg Amiodaron i. v. nach 3 Defibrillationen bei anhaltender VF/pVT
- 150 mg Amiodaron i. v. nach 5 Defibrillationen bei anhaltender VF/pVT

Alternativ

- 100 mg Lidocain i. v. nach 3 Defibrillationen
- 50 mg Lidocain i. v. nach 5 Defibrillationen

Thrombolytika

- Verdacht auf Lungenembolie → thrombolytische Therapie

Flüssigkeit

- Volumengabe nur bei Kreislaufstillstand durch Hypovolämie (isotone NaCl-Lösung oder balanzierte Krystalloidlösungen)

Weitere Medikamente

- nicht routinemäßig Kalzium, Natriumbikarbonat, Kortikosteroide

Besondere Ursachen eines Kreislaufstillstands – Besonderheiten bei der Reanimation

Anaphylaxie

- Frühzeitiges Erkennen entscheidend (Atemwegs-, Atem-, Kreislaufprobleme ggf. mit Haut-/Schleimhautveränderungen)
- Auslöser entfernen/stoppen
- Verdacht auf Anaphylaxie: Injektion von 0,5 mg Adrenalin i. m. , Wiederholung bei unverändertem Zustand nach 5 Min.
- Infusion von Kristalloiden (Bolusgabe) – Reaktion überwachen

Hyperkaliämie

Mittelschwere oder schwere Hyperkaliämie	10 I. E. Insulin i. v. 25 g Glucose i .v. danach Glucose 10 % 50 ml pro Stunde für 5 Stunden (Achtung Kontrolle des Blutzuckerspiegels vor der Verabreichung – Spiegel < 7 mmol/l Salbutamol (10-20 mg) ergänzend vernebeln
Schwere Hyperkaliämie mit EKG-Veränderungen	Calciumgluconat 10 % 30 ml i. v.
Hyperkaliämischer Kreislaufstillstand	Calciumchlorid 10 % 10 ml und Natriumbicarbonat 50 mmol i. v. (Achtung separate Zugänge oder Zwischenspülung)

Hypokaliämie Substitution von Kalium ggf. mit Korrektur des Magnesiummangels
Kreislaufstillstand 20 mg Kaliumchlorid 20 mmol über 2-3 Minuten i. v., dann 10 mmol über 2 Minuten, dann Infusionsgeschwindigkeit nach Kaliumspiegel

Lungenembolie

- Verdacht auf Lungenembolie bei plötzlicher fortschreitender Dyspnoe ohne Herz-/Lungenvorerkrankung
- EKG – 12-Kanal ableiten (?akutes Koronarsyndrom)
- Identifikation einer hämodynamischen Instabilität oder einer Hochrisiko-Embolie
- Bedside-Echokardiografie
- Antikoagulationstherapie einleiten (Heparin 80 IE/kg i. v.) – außer bei Kontraindikationen oder Blutungszeichen (bereits während der Diagnostik)
- Diagnosesicherung (Lungenangio mit CT)
- Bei rapider Verschlechterung ggf. chirurgische Embolektomie oder Kathetergestützte Entfernung

Lungenembolie mit Kreislaufstillstand

Anzeichen	niedrige ETCO2 Werte (<1,7kPa/13 mmHg) (Achtung nicht spezifisch)
Verdacht auf Embolie	Fibrinolytika Alternativ: Embolektomie oder Thrombektomie

Wenn CPR keinen Erfolg zeigt bei Verfügbarkeit ggf. ECPR einsetzen

Kreislaufstillstand – Giftige Substanzen

Auf den Eigenschutz achten

↓

Immer auf Intoxikation prüfen

↓

Absorption reduzieren

↓

Einsatz von Antidota, Dekontamination und beschleunigter Ausscheidung prüfen

↓

Wiederbelebungsmaßnahmen ggf. länger durchführen (Toxinkonzentration sinkt während der Wiederbelebung durch Verstoffwechselung oder Ausscheidung)

↓

Giftnotrufzentrale kontaktieren

Traumatischer Kreislaufstillstand

Unterschied im Behandlungsalgorithmus

Entscheidend: frühzeitige konsequente Behandlung reversibler Ursachen
- Blutstillung
- Atemwegsmanagement
- Thoraxdekompression

Ultraschalleinsatz zur Ermittlung der Ursache des Kreislaufstillstands

Besonderheiten bei speziellen Vorerkrankungen

Asthma/COPD

- 100 % Sauerstoff bei lebensbedrohlicher Hypoxie
- Symptome eines (Spannungs-)Pneumothorax?
- Endotracheale Intubation
- Manuelle Dekompression
- Bei dynamischer Hyperinflation Diskonnektion vom Beatmungsgerät
- Erfolglose Reanimationsmaßnahmen – ggf. ECPR

Kreislaufstillstand bei Hämodialyse

Dialysegerät durch Dialysepfleger/-techniker bedienen lassen

Dialyse stoppen

Blutvolumen zusammen mit einem Flüssigkeits-Bolus infundieren

Diskonnektion vom Dialysegerät (außer Gerät ist defibrillationssicher)

Nasse Oberflächen?

Dialysezugang offenhalten – darüber Medikamente verabreichen

↓

Ggf. erneute Dialyse direkt nach der Wiederbelebung (in der Frühphase nach der Reanimation)

Adipöse Patienten

Normaler Ablauf ohne Änderung

Kreislaufstillstand während der Schwangerschaft

Beachten:
Frau in gebärfähigem Alter – potenzielle Schwangerschaft beachten

Ergänzung des Ablaufs bei Schwangerschaft/Entbindung

Aortokavale Kompression entlasten (so früh wie möglich)

Manuelle Verlagerung der Gebärmutter nach links

Auf schwangerschaftsspezifische Ursachen des Kreislaufstillstands prüfen
→ 4 Ps
- **Prä-Eklampsie und Eklampsie**
- **Puerpale Sepsis**
- **Plazenta- und Uteruskomplikationen**
- **Peripartale Kardiomyopahtie**

Reanimationshysterektomie: zeitkritisch, frühzeitige Vorbereitung für den Eingriff

↓

Postreanimationsbehandlung: multidisziplinärer Ansatz

Reanimation – Merksätze

⚠ Erweiterte lebensrettende Maßnahmen **SOFORT** beginnen!

⚠ Effektive Beatmung und hochwertige Thoraxkompression sicherstellen!

⚠ Frühzeitig defibrillieren (bei defibrillierbarem Rhythmus)

⚠ Frühzeitig Adrenalin i. v. (bei nicht defibrillierbarem Rhythmus)

⚠ Unverzüglich reversible Ursachen beseitigen

ANHANG

Handlungshilfen

Allgemeine Notfallorganisation

Sie müssen gemäß Ihrer Gefährdungssituation und Ihren betrieblichen bzw. einrichtungsspezifischen Anforderungen eine entsprechende Notfallorganisation aufbauen. Denken Sie daran, es kann auch Sie treffen!

Beachten Sie

- Verantwortlichkeiten müssen geregelt sein.
- Ersthelfer müssen ständig verfügbar sein.
- Klare Abläufe und Verfahrensanweisungen bei Notfällen müssen festgelegt sein.
- Meldewege festlegen, auf Alarmplänen bzw. Alarmierungsplänen festhalten und transparent machen.
- Erste-Hilfe-Einrichtungen (Verbandkasten, Sanitätsraum ...) bereit stellen.
- Alarmeinrichtungen müssen vorhanden sein (bspw. Rauchmelder).
- Unterrichten Sie Ihre Mitarbeiter und Kollegen regelmäßig bzgl. Erste-Hilfe-Maßnahmen und Notfallabläufen.

Sorgen Sie dafür, dass

- über die gesamte Arbeitszeit Ersthelfer vor Ort sind
- Erste-Hilfe-Einrichtungen gekennzeichnet sind
- Mitarbeiter bezüglich der Erste-Hilfe-Maßnahmen geschult sind
- erfolgte Erste-Hilfe-Maßnahmen dokumentiert sind

Zur Organisation einer Ersten Hilfe ist eine Notfallausrüstung vorzuhalten. Grundsätzlich hilft es, den Standort der Ausrüstung sinnvoll zu planen:

- leichte Erreichbarkeit
- Notfallwege freihalten, dürfen nicht durch Lagerware o. Ä. zugestellt sein
- gut sichtbare Kennzeichnung des Standortes
- Kennzeichnung des Standortes sollte aus der Menge der betriebsüblichen Aushänge durch Gestaltung und Farbe herausragen

Alle Mitarbeiter sind über den Aufbewahrungsort bzw. den Standort der Notfallausrüstung zu informieren.

Achten Sie darauf, dass die Notfallausrüstung regelmäßig aufgefüllt und auf ihre Funktionalität geprüft wird. Gerade Sterilmaterial sollte alle 3 bis 4 Monate kontrolliert sowie verfallene Materialien ersetzt und das Datum der nächsten Prüfung notiert werden.

Hinweis: In Gesundheitseinrichtungen ist eine erweiterte Notfallausrüstung vorzuhalten.

Handlungshilfen für Ihre Notfallorganisation

Wir stellen Ihnen zusätzliche Handlungshilfen für Ihre Notfallorganisation zur Verfügung. Diese umfassen Checklisten, Merkblätter und Vorlagen für Aushänge zu diesen Themenbereichen:

- Organisation der Ersten Hilfe
- Erste-Hilfe-Material
- Meldeeinrichtungen
- Erste-Hilfe-Räume im Betrieb
- Kennzeichnung der Erste-Hilfe-Einrichtungen
- Verhalten im Notfall
- Rechtliche Anforderungen an die Erste-Hilfe-Organisation in Betrieben

Da diese Dokumente teilweise länderspezifischen Rechtsgrundlagen unterliegen, nutzen Sie die länderspezifischen Download-Möglichkeiten:

Deutschland
www.download.forum-verlag.com/3990XzlU.zip

Österreich
www.download.forum-verlag.com/3206Xu216a.zip

Abbildungsverzeichnis

Flaggensymbole Julien Eichinger – stock.adobe.com

Abbildungen

S. 20 FORUM VERLAG HERKERT GMBH

S. 26 Wali – © stock.adobe.com
Never give up – © stock.adobe.com
MALAI Studio – © stock.adobe.com

S. 30 Henrie – © stock.adobe.com

S. 31 Henrie – © stock.adobe.com

S. 62 tasty_cat94 – © stock.adobe.com

S. 72 ZAY WIN HTAI – © stock.adobe.com

S. 83 Microgen – © stock.adobe.com
vadiar – © stock.adobe.com
eddows – © stock.adobe.com

S. 88 kobra78 – © stock.adobe.com
Lukassek – © stock.adobe.com
vadiar – © stock.adobe.com
catherinelprod – © stock.adobe.com

S. 90 Henrie – © stock.adobe.com

S. 91 New Africa (beide) – © stock.adobe.com

S. 109 JuergenL – © stock.adobe.com
mirkograul – © stock.adobe.com
Nadezhda Buravleva – © stock.adobe.com

S. 131 FORUM VERLAG HERKERT GMBH

Weitere Abbildungen im Innenteil

Stefanie Hafeneder

Darsteller: Frederike Bockermann, Jakob Stubert, Achim Thamm, Marvin Thamm

Quellennachweis

Inhalte basieren auf

ERC Guidelines 2025
https://www.erc.edu/science-research/guidelines/guidelines-2025/guidelines-2025-english/

GRC Reanimation 2025 – Leitlinien kompakt
https://www.grc-org.de/files/Contentpages/document/251125_TB_Reanimation.pdf

Notizen

Notizen